력 GO!

GO! 매쓰

GO!

Run-B

교과서 사고력

수학 **4**-2

구성과 특징

1^{주차} 교과 집중 학습

1 교과서 개념 완성

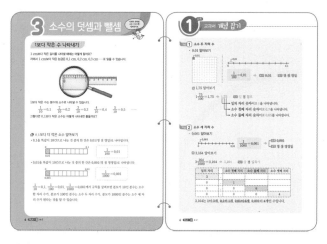

재미있는 수학 이야기로 단원에 대한 흥미를 높이고, 교과서 개념과 기본 문제를 학습합니다.

2 교과서 개념 PLAY

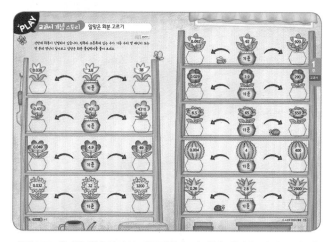

게임으로 개념을 학습하면서 집중력을 높여 쉽게 개념을 익히고 기본을 탄탄하게 만듭니다.

3 문제 풀이로 실력 & 자신감 UP!

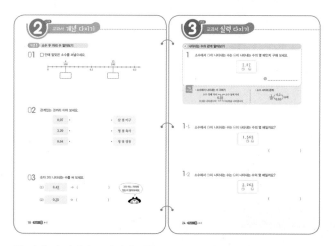

한 단계 더 나아간 교과서와 익힘 문제로 개념을 완성하고, 다양한 문제 유형으로 응용력을 키웁니다.

4 서술형 문제 풀이

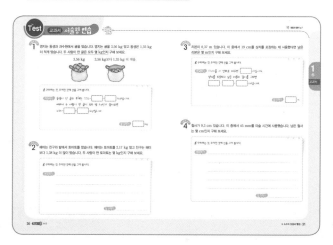

시험에 잘 나오는 서술형 문제 중심으로 단계별로 풀이하는 연습을 하여 서술하는 힘을 높여 줍니다.

사고력 확장 학습

1 사고력 PLAY

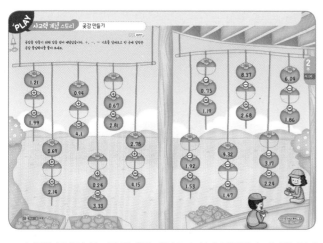

교과 심화 문제와 사고력 문제를 게임으로 쉽게 접근하여 어려운 문제에 대한 거부감을 낮추고 집중력을 높입니다.

2 교과 사고력 잡기

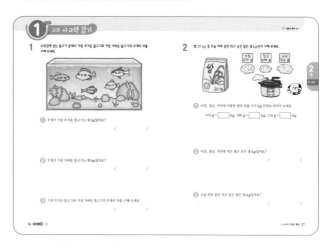

문제에 필요한 요소를 찾아 단계별로 해결하면서 문제 해결력을 키울 수 있는 힘을 기릅니다.

3 교과 사고력 확장 + 완성

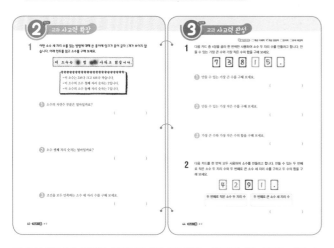

틀에서 벗어난 생각을 하여 문제를 해결하는 창의적 사고력을 기를 수 있는 힘을 기릅니다.

4 종합평가 / 특강

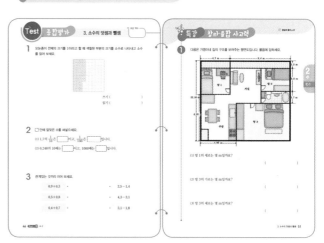

교과 학습과 사고력 학습을 얼마나 잘 이해하였는지 평가하여 배운 내용을 정리합니다.

3 소수의 덧셈과 뺄셈

단원과 관련된 소수 이야기를 살펴보아요.

1보다 작은 수 나타내기

1 cm보다 작은 길이를 나타낼 때에는 어떻게 할까요?

자에서 1 cm보다 작은 눈금은 0.1 cm, 0.2 cm, 0.3 cm……로 읽을 수 있습니다.

1보다 작은 수는 분수와 소수로 나타낼 수 있습니다.

$$\frac{1}{10}=0.1 \qquad \frac{2}{10}=0.2 \qquad \frac{3}{10}=0.3 \qquad \frac{4}{10}=0.4 \qquad \frac{5}{10}=0.5 \qquad ……$$

그렇다면 0.1보다 작은 소수는 어떻게 나타내면 좋을까요?

☆ 0.1보다 더 작은 소수 알아보기

• 0.1을 똑같이 10칸으로 나눈 것 중의 한 칸은 0.01(영 점 영일)로 나타냅니다.

$$\frac{1}{100}=0.01$$

• 0.01을 똑같이 10칸으로 나눈 것 중의 한 칸은 0.001(영 점 영영일)로 나타냅니다.

$$\frac{1}{1000}=0.001$$

$\frac{1}{10}=0.1$, $\frac{1}{100}=0.01$, $\frac{1}{1000}=0.001$에서 규칙을 살펴보면 분모가 10인 분수는 소수 한 자리 수가, 분모가 100인 분수는 소수 두 자리 수가, 분모가 1000인 분수는 소수 세 자리 수가 된다는 것을 알 수 있습니다.

☆ 길이를 소수로 나타내기

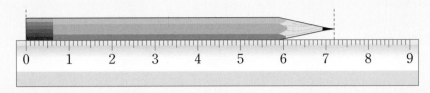

연필의 길이는 7 cm 2 mm입니다.

2 mm는 0.2 cm와 같으므로 연필의 길이는 소수로 7.2 cm라고 나타낼 수 있습니다.

$$7 \text{ cm } 2 \text{ mm} = 7.2 \text{ cm}$$

🔦 ☐ 안에 알맞은 소수를 써넣으세요.

(1) 7 mm = ☐ cm

(2) 25 mm = ☐ cm

(3) 3 cm 6 mm = ☐ cm

(4) 184 mm = ☐ cm

🔦 물병에 들어 있는 물의 양을 소수로 나타내고 소수의 크기를 비교해 보세요.

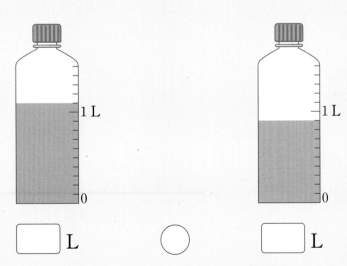

☐ L   ◯   ☐ L

개념 **1** 소수 두 자리 수

· 0.01 알아보기

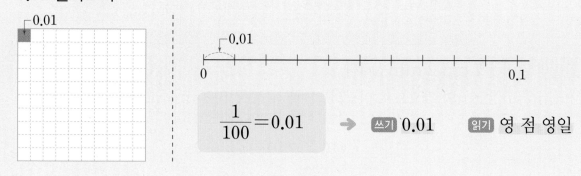

$$\frac{1}{100}=0.01$$ ➡ 쓰기 0.01   읽기 영 점 영일

예 1.75 알아보기

$$1\frac{75}{100}=1.75 ➡ 1.75$$ 읽기 일 점 칠오

➡ 일의 자리 숫자이고 1을 나타냅니다.

➡ 소수 첫째 자리 숫자이고 0.7을 나타냅니다.

➡ 소수 둘째 자리 숫자이고 0.05를 나타냅니다.

개념 **2** 소수 세 자리 수

· 0.001 알아보기

$$\frac{1}{1000}=0.001$$ ➡ 쓰기 0.001   읽기 영 점 영영일

예 3.164 알아보기

$$3\frac{164}{1000}=3.164 ➡ 3.164$$ 읽기 삼 점 일육사

일의 자리		소수 첫째 자리	소수 둘째 자리	소수 셋째 자리
3	.			
0	.	1		
0	.	0	6	
0	.	0	0	4

3.164는 1이 3개, 0.1이 1개, 0.01이 6개, 0.001이 4개인 수입니다.

개념 확인 문제

1-1 모눈종이 전체의 크기를 1이라고 할 때 색칠한 부분의 크기를 소수로 나타내어 보세요.

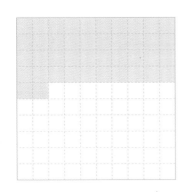

(   )

1-2 ☐ 안에 알맞은 수나 말을 써넣으세요.

(1) 분수 $\dfrac{69}{100}$ 를 소수로 나타내면 ☐ 이고 ☐ (이)라고 읽습니다.

(2) 분수 $\dfrac{137}{100}$ 을 소수로 나타내면 ☐ 이고 ☐ (이)라고 읽습니다.

2-1 분수를 소수로 나타내어 보세요.

(1) $\dfrac{5}{1000}$ ➡ (   )   (2) $\dfrac{517}{1000}$ ➡ (   )

(3) $\dfrac{39}{1000}$ ➡ (   )   (4) $\dfrac{1184}{1000}$ ➡ (   )

2-2 소수를 보고 빈칸에 알맞은 수를 써넣으세요.

7.562

일의 자리	소수 첫째 자리	소수 둘째 자리	소수 셋째 자리
.			

개념 **3** 소수의 크기 비교하기

소수 첫째 자리 수 비교

소수 첫째 자리 수가 같다면
소수 둘째 자리 수 비교

소수 둘째 자리 수가 같다면
소수 셋째 자리 수 비교

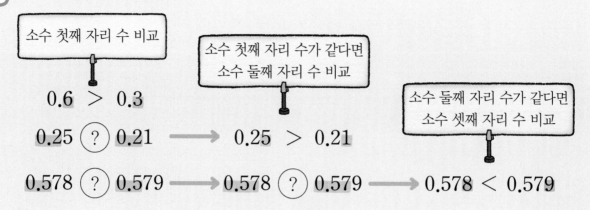

$0.6 > 0.3$

0.25 ⓐ 0.21 ⟶ $0.25 > 0.21$

0.578 ⓐ 0.579 ⟶ 0.578 ⓐ 0.579 ⟶ $0.578 < 0.579$

$4.57 = 4.570$

4.57과 4.570은 같은 수입니다.
소수는 필요한 경우 오른쪽 끝자리에
0을 붙여서 나타낼 수 있습니다.

개념 **4** 소수 사이의 관계

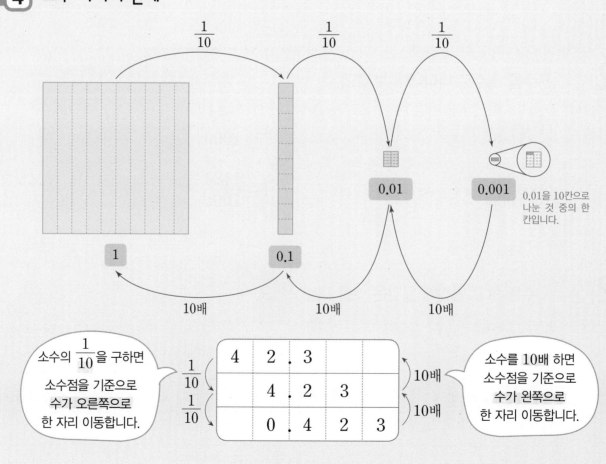

$\frac{1}{10}$ $\frac{1}{10}$ $\frac{1}{10}$

0.01   0.001

0.01을 10칸으로
나눈 것 중의 한
칸입니다.

1   0.1

10배   10배   10배

소수의 $\frac{1}{10}$을 구하면
소수점을 기준으로
수가 오른쪽으로
한 자리 이동합니다.

4	2	.	3		
	4	.	2	3	
0	.	4	2	3	

$\frac{1}{10}$
$\frac{1}{10}$

10배
10배

소수를 10배 하면
소수점을 기준으로
수가 왼쪽으로
한 자리 이동합니다.

개념 확인 문제

3-1 더 큰 수에 ○표 하세요.

| 6.683 |

(   )

| 6.72 |

(   )

3-2 두 수의 크기를 비교하여 ○ 안에 >, =, <를 알맞게 써넣으세요.

(1) 4.7 ◯ 3.8

(2) 0.17 ◯ 0.82

(3) 5.81 ◯ 6.24

(4) 6.9 ◯ 6.90

4-1 빈칸에 알맞은 수를 써넣으세요.

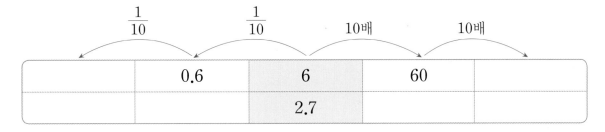

4-2 빈칸에 알맞은 수를 써넣으세요.

(1)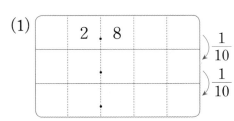

(2)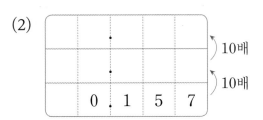

개념 5 소수 한 자리 수의 덧셈

· 0.8＋1.3의 계산

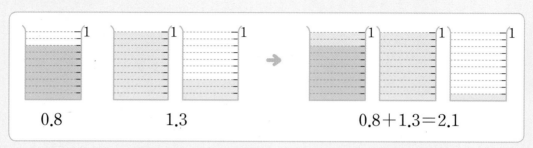

$$0.8 = 0.1\text{이}\ \ 8\text{개}$$
$$1.3 = 0.1\text{이}\ 13\text{개}$$
$$0.8+1.3\text{은}\ 0.1\text{이}\ 21\text{개}$$

➡ 0.8＋1.3＝2.1

· 소수점끼리 맞추어 쓰고 세로로 계산하기

① 소수점끼리 맞추어 씁니다.

② 같은 자리 수끼리 더합니다.

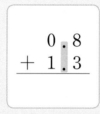 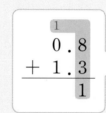 

마지막에 소수점 찍기!

개념 6 소수 한 자리 수의 뺄셈

· 2.7－0.9의 계산

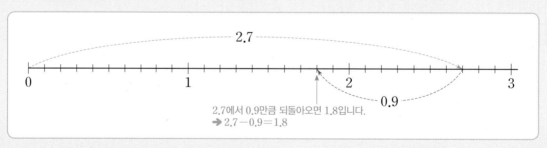

2.7에서 0.9만큼 되돌아오면 1.8입니다.
➡ 2.7－0.9＝1.8

· 소수점끼리 맞추어 쓰고 세로로 계산하기

① 소수점끼리 맞추어 씁니다.

② 같은 자리 수끼리 뺍니다.

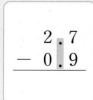 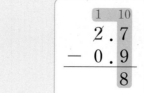 

마지막에 소수점 찍기!

개념 확인 문제

5-1 ☐ 안에 알맞은 수를 써넣으세요.

$$
\begin{array}{r}
0\ .\ 9 \\
+\ 1\ .\ 4 \\
\hline
\end{array}
\quad\rightarrow\quad
\begin{array}{r}
\boxed{} \\
0\ .\ 9 \\
+\ 1\ .\ 4 \\
\hline
\boxed{}
\end{array}
\quad\rightarrow\quad
\begin{array}{r}
\boxed{} \\
0\ .\ 9 \\
+\ 1\ .\ 4 \\
\hline
\boxed{}.\boxed{}
\end{array}
$$

5-2 계산해 보세요.

(1) $\begin{array}{r} 2\ .\ 3 \\ +\ 0\ .\ 5 \\ \hline \end{array}$

(2) $\begin{array}{r} 1\ .\ 7 \\ +\ 0\ .\ 8 \\ \hline \end{array}$

(3) $0.3 + 0.6$

(4) $2.6 + 1.5$

6-1 한 장의 크기가 1인 모눈종이를 이용하여 $3.4 - 1.7$은 얼마인지 알아보려고 합니다.
☐ 안에 알맞은 수를 써넣으세요.

 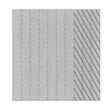  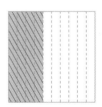

$$3.4 - 1.7 = \boxed{}$$

6-2 계산해 보세요.

(1) $\begin{array}{r} 0\ .\ 7 \\ -\ 0\ .\ 2 \\ \hline \end{array}$

(2) $\begin{array}{r} 4\ .\ 1 \\ -\ 2\ .\ 3 \\ \hline \end{array}$

(3) $2.6 - 1.8$

(4) $8.2 - 5.7$

개념 7 소수 두 자리 수의 덧셈

- 0.36+0.27의 계산

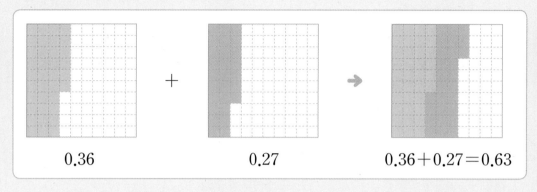

| 0.36 | 0.27 | 0.36+0.27=0.63 |

- 소수점끼리 맞추어 쓰고 세로로 계산하기

① 소수 둘째 자리 수의 합을 구합니다.

$$\begin{array}{r} \overset{1}{} \\ 0.3\ 6 \\ +\ 0.2\ 7 \\ \hline \ 3 \end{array}$$

② 소수 첫째 자리 수의 합을 구합니다.

$$\begin{array}{r} \overset{1}{} \\ 0.3\ 6 \\ +\ 0.2\ 7 \\ \hline 6\ 3 \end{array}$$

③ 일의 자리 수의 합을 구하고 소수점을 찍습니다.

$$\begin{array}{r} 1 \\ 0.3\ 6 \\ +\ 0.2\ 7 \\ \hline 0.6\ 3 \end{array}$$

개념 8 소수 두 자리 수의 뺄셈

- 1.3-0.92의 계산

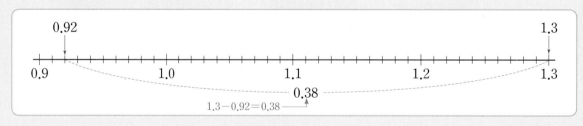

1.3-0.92=0.38

- 소수점끼리 맞추어 쓰고 세로로 계산하기

① 소수 둘째 자리 수의 차를 구합니다.

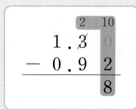

② 소수 첫째 자리 수의 차를 구합니다.

③ 일의 자리 수의 차를 구하고 소수점을 찍습니다.

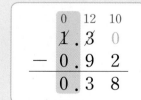

7-1 □ 안에 알맞은 수를 써넣으세요.

$$0.59는 0.01이 \boxed{}개$$
$$+ \quad 0.3은 0.01이 \boxed{}개$$
$$\overline{\qquad\qquad 0.01이 \boxed{}개}$$

➡

$$\begin{array}{r} 0.5\ 9 \\ +\ 0.3 \\ \hline \boxed{} \end{array}$$

7-2 계산해 보세요.

(1)
$$\begin{array}{r} 0.7\ 3 \\ +\ 0.9\ 1 \\ \hline \end{array}$$

(2)
$$\begin{array}{r} 3.2\ 6 \\ +\ 1.7\ 8 \\ \hline \end{array}$$

(3) $6.42+2.14$

(4) $3.54+1.63$

8-1 □ 안에 알맞은 수를 써넣으세요.

$$\begin{array}{r} \boxed{}\boxed{} \\ 4.7\ 3 \\ -\ 1.2\ 9 \\ \hline \boxed{} \end{array}$$
➡
$$\begin{array}{r} \boxed{}\boxed{} \\ 4.7\ 3 \\ -\ 1.2\ 9 \\ \hline \boxed{}\boxed{} \end{array}$$
➡
$$\begin{array}{r} \boxed{}\boxed{} \\ 4.7\ 3 \\ -\ 1.2\ 9 \\ \hline \boxed{}.\boxed{}\boxed{} \end{array}$$

8-2 계산해 보세요.

(1)
$$\begin{array}{r} 4.9\ 6 \\ -\ 1.2\ 8 \\ \hline \end{array}$$

(2)
$$\begin{array}{r} 8.3\ 6 \\ -\ 4.9 \\ \hline \end{array}$$

(3) $3.64-1.72$

(4) $6.45-3.18$

교과서 개념 스토리   알맞은 화분 고르기

준비물 붙임딱지

선반에 화분이 진열되어 있습니다. 왼쪽과 오른쪽에 있는 수가 기준 수의 몇 배인지 또는 몇 분의 몇인지 알아보고 알맞은 화분 붙임딱지를 붙여 보세요.

준비물 ◀ 붙임딱지

맛있는 <u>탕후루</u>를 만들고 있습니다. 과일 붙임딱지를 붙여 여러 가지 탕후루를 완성해 보세요.
↳ 탕후루는 과일에 설탕, 물엿 등으로 만든 시럽을 바른 뒤 굳혀서 먹는 음식입니다.

$$\begin{array}{r} 0.45 \\ +0.32 \\ \hline \end{array}$$

$$\begin{array}{r} 0.16 \\ +0.37 \\ \hline \end{array}$$

$$\begin{array}{r} 1.38 \\ +2.24 \\ \hline \end{array}$$

$$\begin{array}{r} 3.18 \\ +4.91 \\ \hline \end{array}$$

$$\begin{array}{r} 5.29 \\ +2.24 \\ \hline \end{array}$$

$$\begin{array}{r} 1.2 \\ +1.9 \\ \hline \end{array}$$

$$\begin{array}{r} 2.7 \\ +0.9 \\ \hline \end{array}$$

$$\begin{array}{r} 0.57 \\ +0.49 \\ \hline \end{array}$$

$$\begin{array}{r} 0.8 \\ +1.3 \\ \hline \end{array}$$

$$\begin{array}{r} 0.94 \\ +2.86 \\ \hline \end{array}$$

$$\begin{array}{r} 0.9 \\ -\ 0.5 \\ \hline \end{array}$$

$$\begin{array}{r} 2.7 \\ -\ 1.5 \\ \hline \end{array}$$

$$\begin{array}{r} 3.9 \\ -\ 1.5 \\ \hline \end{array}$$

$$\begin{array}{r} 1.2 \\ -\ 0.4 \\ \hline \end{array}$$

$$\begin{array}{r} 3.2 \\ -\ 1.4 \\ \hline \end{array}$$

$$\begin{array}{r} 4.3 \\ -\ 1.8 \\ \hline \end{array}$$

$$\begin{array}{r} 2.2 \\ -\ 1.6 \\ \hline \end{array}$$

$$\begin{array}{r} 5.6 \\ -\ 3.57 \\ \hline \end{array}$$

$$\begin{array}{r} 8.76 \\ -\ 5.34 \\ \hline \end{array}$$

$$\begin{array}{r} 0.54 \\ -\ 0.21 \\ \hline \end{array}$$

$$\begin{array}{r} 8.13 \\ -\ 2.25 \\ \hline \end{array}$$

$$\begin{array}{r} 5.27 \\ -\ 1.72 \\ \hline \end{array}$$

$$\begin{array}{r} 0.74 \\ -\ 0.26 \\ \hline \end{array}$$

$$\begin{array}{r} 8.72 \\ -\ 7.36 \\ \hline \end{array}$$

탕후루

개념 1 소수 두 자리 수 알아보기

01 ☐ 안에 알맞은 소수를 써넣으세요.

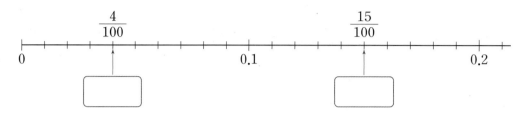

02 관계있는 것끼리 이어 보세요.

0.07 •   • 삼 점 이구

3.29 •   • 영 점 육사

0.64 •   • 영 점 영칠

03 숫자 3이 나타내는 수를 써 보세요.

(1) 8.4<u>3</u> → (   )

(2) 0.<u>3</u>5 → (   )

> 3이 어느 자리에 있는지 알아보세요.

개념 2 **소수 세 자리 수 알아보기**

04 다음이 나타내는 소수를 써 보세요.

> 1이 2개, 0.1이 7개, 0.01이 4개, 0.001이 6개인 수

(   )

05 문 앞에 적힌 수를 보고 빈칸에 알맞은 수를 써넣으세요.

06 소수 셋째 자리 숫자가 7인 수를 찾아 기호를 써 보세요.

> ㉠ 7.364   ㉡ 1.307
>
> ㉢ 3.875   ㉣ 2.74

(   )

개념3 소수의 크기 비교하기

07 소수에서 생략할 수 있는 0을 찾아 보기 와 같이 나타내어 보세요.

> 보기
>
> 0.5~~0~~   3.08~~0~~

(1) 1.460   (2) 0.090   (3) 20.140

08 가장 작은 수를 찾아 써 보세요.

> 7.24   9.028   7.241

(   )

09 진수의 키는 1.37 m이고 혜민이의 키는 1.4 m입니다. 두 사람 중에서 누구의 키가 더 클까요?

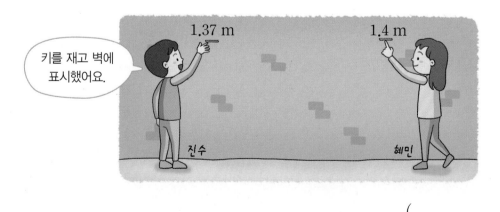

(   )

개념 4 소수 사이의 관계 알아보기

10 빈 곳에 알맞은 수를 써넣으세요.

11 관계있는 것끼리 이어 보세요.

1.28의 10배	•		•	128
1.28의 $\frac{1}{10}$	•		•	0.128
1.28의 100배	•		•	12.8

12 ☐ 안에 알맞은 수를 써넣으세요.

(1) 4.7은 0.47의 ☐ 배입니다.

(2) 3은 0.03의 ☐ 배입니다.

(3) 0.25는 2.5의 ☐ 입니다.

(4) 0.81은 81의 ☐ 입니다.

개념5 소수 한 자리 수의 덧셈과 뺄셈

13 빈칸에 알맞은 수를 써넣으세요.

(1)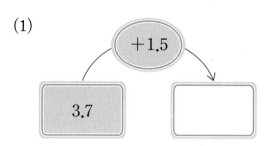

(2)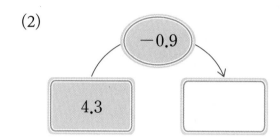

14 계산 결과가 같은 것끼리 이어 보세요.

0.7＋0.6 ・	・ 3.6－2.8
0.5＋0.3 ・	・ 2.9－1.6
0.4＋0.8 ・	・ 4.4－3.2

15 계산 결과를 비교하여 ○ 안에 ＞, ＝, ＜를 알맞게 써넣으세요.

1.5＋1.6 5－1.7

개념 6 소수 두 자리 수의 덧셈과 뺄셈

16 수직선을 보고 ☐ 안에 알맞은 수를 써넣으세요.

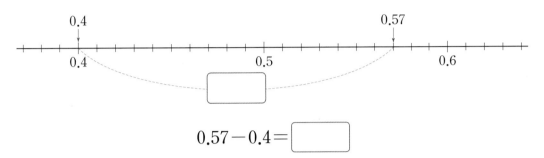

$$0.57 - 0.4 = \boxed{}$$

17 계산을 바르게 한 사람은 누구인지 써 보세요.

$$\begin{array}{r} 1.3\ 6 \\ +\ 0.4\ 5 \\ \hline 1.8\ 1 \end{array}$$

$$\begin{array}{r} 3.8\ 7 \\ -\ \ \ 0.9 \\ \hline 3.7\ 8 \end{array}$$

승희   용빈

(   )

18 계산 결과가 더 큰 수에 ◯표 하세요.

$$3.16 + 0.97 \qquad\qquad\qquad 5.47 - 1.28$$

(   )   (   )

★ **나타내는 수의 관계 알아보기**

1 소수에서 ㉠이 나타내는 수는 ㉡이 나타내는 수의 몇 배인지 구해 보세요.

$$7 . 2 7$$
㉠ ㉡

답 _____

개념 피드백

• 소수에서 나타내는 수 구하기

소수 첫째 자리 ←┐ ┌→ 소수 둘째 자리
0.33
0.3을 나타냅니다. ←┘ └→ 0.03을 나타냅니다.

• 소수 사이의 관계

$\frac{1}{10}$ ⟨ 0.3 / 0.03 ⟩ 10배

1-1 소수에서 ㉠이 나타내는 수는 ㉡이 나타내는 수의 몇 배일까요?

$$1 . 5 6 5$$
㉠ ㉡

( )

1-2 소수에서 ㉠이 나타내는 수는 ㉡이 나타내는 수의 몇 배일까요?

$$3 . 2 6 3$$
㉠ ㉡

( )

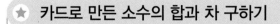
★ 카드로 만든 소수의 합과 차 구하기

2 카드를 한 번씩 모두 사용하여 소수 두 자리 수를 만들려고 합니다. 만들 수 있는 가장 큰 수와 가장 작은 수의 합을 구해 보세요.

답 _____

개념 피드백

• 3개의 수로 가장 큰 소수 두 자리 수 만들기

가장 큰 수를 놓습니다.   소수점   가장 작은 수를 놓습니다.

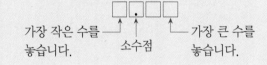
• 3개의 수로 가장 작은 소수 두 자리 수 만들기

가장 작은 수를 놓습니다.   소수점   가장 큰 수를 놓습니다.

2-1 카드를 한 번씩 모두 사용하여 소수 두 자리 수를 만들려고 합니다. 만들 수 있는 가장 큰 수와 가장 작은 수의 차를 구해 보세요.

(   )

2-2 카드를 한 번씩 모두 사용하여 소수 두 자리 수를 만들려고 합니다. 만들 수 있는 가장 큰 수와 가장 작은 수의 합과 차를 각각 구해 보세요.

합 (   )

차 (   )

★ 두 소수의 합과 차 구하기

3 ㉠과 ㉡의 합을 구해 보세요.

> ㉠ 0.1이 12개, 0.01이 37개인 수
> ㉡ 0.1이 26개, 0.001이 6개인 수

답 _____

개념 피드백
· 0.1이 3개인 수 ➡ 0.3, 0.1이 25개인 수 ➡ 2.5
· 0.01이 3개인 수 ➡ 0.03, 0.01이 25개인 수 ➡ 0.25
· 0.001이 3개인 수 ➡ 0.003, 0.001이 25개인 수 ➡ 0.025

3-1 ㉠과 ㉡의 차를 구해 보세요.

> ㉠ 3.76의 $\dfrac{1}{10}$
> ㉡ 0.149의 100배

(   )

3-2 ㉠과 ㉡의 차를 구해 보세요.

> ㉠ 0.675의 10배
> ㉡ 0.1이 37개, 0.01이 48개인 수

(   )

★ ☐ 안에 들어갈 수 있는 수 구하기

4 0부터 9까지의 수 중에서 ☐ 안에 들어갈 수 있는 수는 모두 몇 개인지 구해 보세요.

$$0.72 > 0.\boxed{}4$$

답 _____

**개념
피드백**

① 자연수 부분이 같으면 소수 첫째 자리 수를 비교합니다.

② 소수 첫째 자리 수까지 같으면 소수 둘째 자리 수를 비교합니다.

③ ☐ 안에 수를 넣어 보면서 >, <의 모양이 바뀌지 않는지 확인합니다.

4-1 0부터 9까지의 수 중에서 ☐ 안에 들어갈 수 있는 수를 모두 구해 보세요.

$$5.1\boxed{}8 < 5.134$$

(   )

4-2 0부터 9까지의 수 중에서 ☐ 안에 들어갈 수 있는 수를 모두 구해 보세요.

$$3.57 - 1.29 > 2.\boxed{}5$$

(   )

★ **바르게 계산한 값 구하기**

5 어떤 수에서 2.6을 빼야 할 것을 잘못하여 더했더니 7.38이 되었습니다. 바르게 계산한 값을 구해 보세요.

먼저 어떤 수를 구한 다음 바르게 계산한 값을 구해요.

답 _____

개념 피드백
① 어떤 수를 □로 놓고 잘못 계산한 식을 세웁니다.
② □에 알맞은 수를 구합니다.
③ 바르게 계산한 식을 세우고 답을 구합니다.

5-1 6.9에서 어떤 수를 빼야 할 것을 잘못하여 더했더니 8.2가 되었습니다. 바르게 계산한 값을 구해 보세요.

(   )

5-2 어떤 수에 3.17을 더해야 할 것을 잘못하여 뺐더니 5.34가 되었습니다. 바르게 계산한 값을 구해 보세요.

(   )

★ 덧셈식, 뺄셈식 완성하기

6 □ 안에 알맞은 수를 써넣으세요.

$$
\begin{array}{r}
3\ .\ 6\ \boxed{} \\
+\ \boxed{}\ .\ 5\ \ 8 \\
\hline
6\ .\ \boxed{}\ \ 2
\end{array}
$$

개념
피드백

- 소수의 덧셈과 뺄셈은 같은 자리의 수끼리 계산합니다.
- 필요할 경우에는 소수의 오른쪽 끝자리에 0을 붙여서 나타낼 수 있습니다. (예 0.3＝0.30)

6-1 □ 안에 알맞은 수를 써넣으세요.

(1)
$$
\begin{array}{r}
4\ .\ \boxed{}\ \ 7 \\
+\ \boxed{}\ .\ 7\ \ 9 \\
\hline
9\ .\ 3\ \boxed{}
\end{array}
$$

(2)
$$
\begin{array}{r}
7\ .\ 1\ \boxed{} \\
-\ \boxed{}\ .\ 3\ \ 5 \\
\hline
4\ .\ \boxed{}\ \ 9
\end{array}
$$

6-2 □ 안에 알맞은 수를 써넣으세요.

$$
\begin{array}{r}
\boxed{}\ .\ 3 \\
-\ 2\ .\ \boxed{}\ \ 6 \\
\hline
2\ .\ 7\ \boxed{}
\end{array}
$$

서술형 연습

1 영지는 동생과 과수원에서 귤을 땄습니다. 영지는 귤을 3.56 kg 땄고 동생은 1.35 kg 더 적게 땄습니다. 두 사람이 딴 귤은 모두 몇 kg인지 구해 보세요.

3.56 kg   3.56 kg보다 1.35 kg 더 적음.

✏️ 구하려는 것, 주어진 것에 선을 그어 봅니다.

해결하기   동생이 딴 귤의 무게는 3.56－ □ ＝ □ (kg)입니다.

따라서 두 사람이 딴 귤이 모두 몇 kg인지 알아보면

3.56＋ □ ＝ □ (kg)입니다.

답 구하기 □ kg

2 혜미는 친구와 밭에서 토마토를 땄습니다. 혜미는 토마토를 2.17 kg 땄고 친구는 혜미보다 1.38 kg 더 많이 땄습니다. 두 사람이 딴 토마토는 몇 kg인지 구해 보세요.

✏️ 구하려는 것, 주어진 것에 선을 그어 봅니다.

해결하기

답 구하기

3 리본이 0.37 m 있습니다. 이 중에서 19 cm를 상자를 포장하는 데 사용했다면 남은 리본은 몇 m인지 구해 보세요.

✏ 구하려는 것, 주어진 것에 선을 그어 봅니다.

해결하기 19 cm를 m 단위로 바꾸면 [ ] m입니다.

상자를 포장하고 남은 리본의 길이를 구하면

[ ] ― [ ] = [ ] (m)입니다.

답 구하기 [ ] m

4 철사가 9.3 cm 있습니다. 이 중에서 45 mm를 미술 시간에 사용했습니다. 남은 철사는 몇 cm인지 구해 보세요.

✏ 구하려는 것, 주어진 것에 선을 그어 봅니다.

해결하기

답 구하기

준비물 붙임딱지

곶감을 만들기 위해 감을 엮어 매달았습니다. ⊕, ⊖, ⊜를 살펴보고 빈 곳에 알맞은 곶감 붙임딱지를 붙여 보세요.

준비물 붙임딱지

규칙에 알맞게 포도알 붙임딱지를 붙여 보세요.

규칙
두 포도알에 쓰인 수의 합이 바로 아래에 붙어 있는 포도알의 수가 되도록 붙입니다.

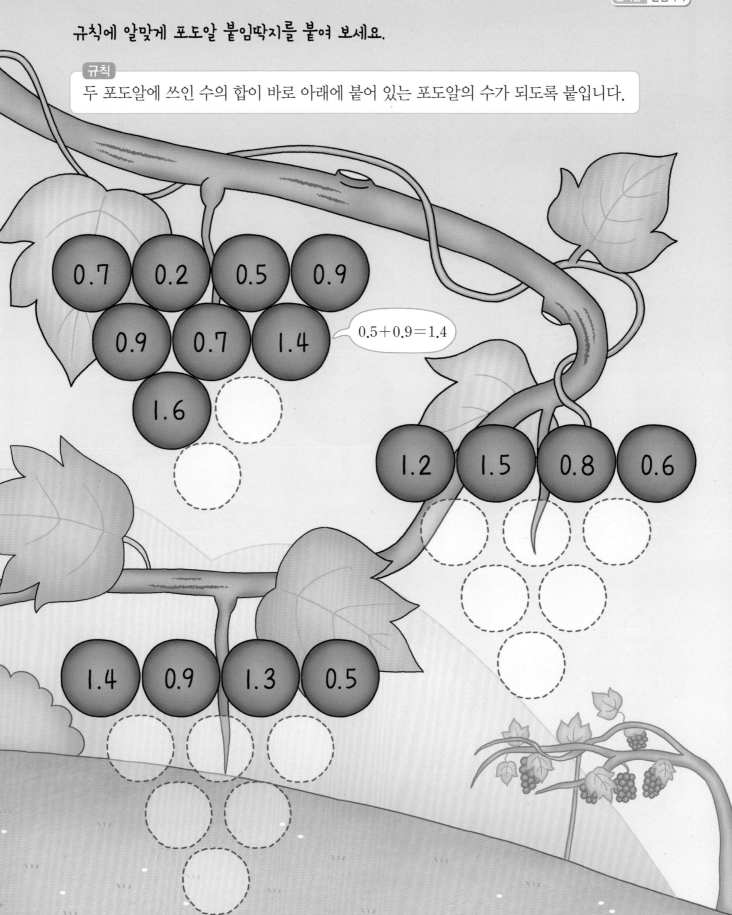

0.5+0.9=1.4

두 포도알에 쓰인 수의 차가 바로 아래에 붙어 있는 포도알의 수가 되도록 붙입니다.

1 수족관에 있는 물고기 중에서 가장 무거운 물고기와 가장 가벼운 물고기의 무게의 차를 구해 보세요.

1 무게가 가장 무거운 물고기는 몇 kg일까요?

(   )

2 무게가 가장 가벼운 물고기는 몇 kg일까요?

(   )

3 가장 무거운 물고기와 가장 가벼운 물고기의 무게의 차를 구해 보세요.

(   )

2 쌀 20 kg 중 오늘 하루 동안 먹고 남은 쌀은 몇 kg인지 구해 보세요.

❶ 아침, 점심, 저녁에 사용한 쌀의 양을 각각 kg 단위로 바꾸어 보세요.

670 g = ☐ kg, 590 g = ☐ kg, 710 g = ☐ kg

❷ 아침, 점심, 저녁에 먹은 쌀은 모두 몇 kg일까요?

(   )

❸ 오늘 하루 동안 먹고 남은 쌀은 몇 kg일까요?

(   )

3 수찬이는 끈을 5 m 가지고 있습니다. 그중에서 2.35 m로는 상자를 포장하고 0.79 m 로는 리본을 만들었습니다. 사용하고 남은 끈은 몇 m인지 구해 보세요.

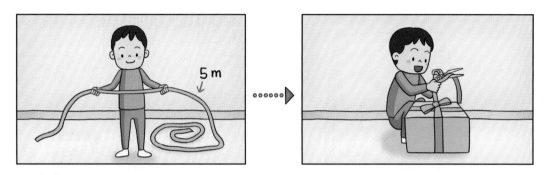

① 수찬이가 상자를 포장하고 리본을 만드는 데 사용한 끈은 모두 몇 m일까요?

(   )

② 수찬이가 사용하고 남은 끈은 몇 m일까요?

(   )

③ 민서는 끈을 2 m 가지고 있습니다. 그중에서 1.27 m로는 상자를 포장하고 0.3 m로는 리본을 만들었습니다. 사용하고 남은 끈은 몇 m일까요?

(   )

4 정삼각형의 세 변의 길이의 합과 정사각형의 네 변의 길이의 합의 차는 몇 cm인지 구해 보세요.

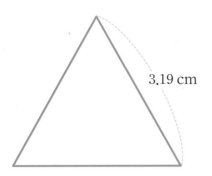

3.19 cm

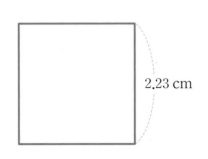

2.23 cm

① 정삼각형의 세 변의 길이의 합은 몇 cm인지 구해 보세요.

( )

② 정사각형의 네 변의 길이의 합은 몇 cm인지 구해 보세요.

( )

③ 정삼각형의 세 변의 길이의 합과 정사각형의 네 변의 길이의 합의 차는 몇 cm인지 구해 보세요.

( )

1 어떤 소수 세 자리 수를 읽는 방법에 대해 쓴 종이에 잉크가 묻어 글자 3개가 보이지 않습니다. 아래 힌트를 읽고 소수를 구해 보세요.

이 소수는 ● 점 ●● 사라고 읽습니다.

- 이 소수는 3보다 크고 4보다 작습니다.
- 이 소수의 소수 첫째 자리 숫자는 2입니다.
- 이 소수의 소수 둘째 자리 숫자는 7입니다.

❶ 소수의 자연수 부분은 얼마일까요?

( )

❷ 소수 셋째 자리 숫자는 얼마일까요?

( )

❸ 조건을 모두 만족하는 소수 세 자리 수를 구해 보세요.

( )

2 색 테이프 3장을 겹쳐서 다음과 같이 길게 이어 붙였습니다. 이어 붙인 색 테이프의 전체 길이는 몇 m인지 구해 보세요.

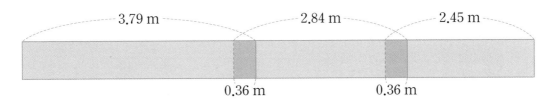

① 색 테이프 3장의 길이의 합은 몇 m일까요?

(   )

② 겹쳐진 두 부분의 길이의 합은 몇 m인지 구해 보세요.

(   )

③ 이어 붙여서 만든 색 테이프의 전체 길이는 몇 m인지 구해 보세요.

(   )

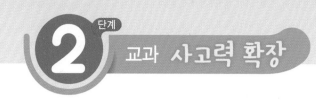

3 병원에서 서점까지의 거리는 몇 km인지 구해 보세요.

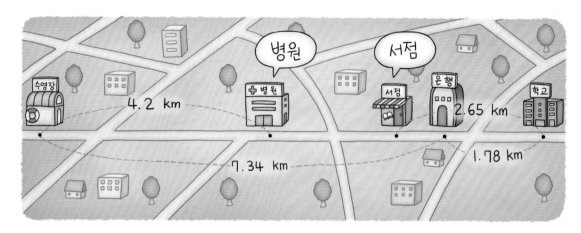

① 수영장에서 학교까지의 거리는 몇 km일까요?

(   )

② 수영장에서 병원까지의 거리와 서점에서 학교까지의 거리의 합은 몇 km인지 구해 보세요.

(   )

③ 병원에서 서점까지의 거리는 몇 km일까요?

(   )

4 규칙에 따라 화살표 방향으로 계산하여 💜에 알맞은 값은 얼마인지 구해 보세요.

규칙

➡ : 0.51을 더합니다.　　⬅ : 2.8을 뺍니다.

⬇ : 0.69를 더합니다.　　⬆ : 1.3을 뺍니다.

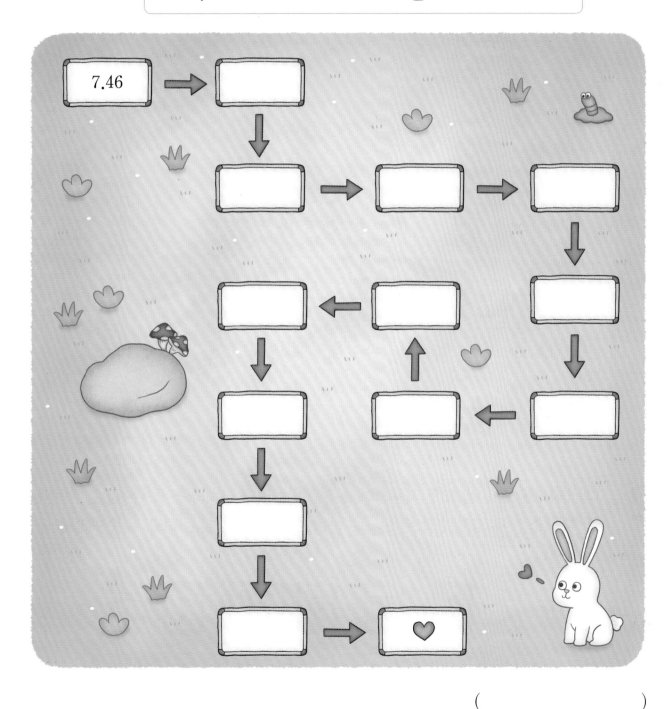

(　　　　　　　　)

평가 영역 ☐개념 이해력 ☑개념 응용력 ☐창의력 ☐문제 해결력

1 다음 카드 중 4장을 골라 한 번씩만 사용하여 소수 두 자리 수를 만들려고 합니다. 만들 수 있는 가장 큰 수와 가장 작은 수의 합을 구해 보세요.

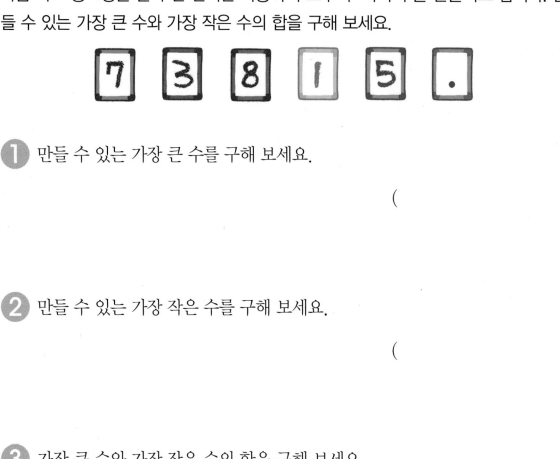

❶ 만들 수 있는 가장 큰 수를 구해 보세요.

(   )

❷ 만들 수 있는 가장 작은 수를 구해 보세요.

(   )

❸ 가장 큰 수와 가장 작은 수의 합을 구해 보세요.

(   )

2 다음 카드를 한 번씩 모두 사용하여 소수를 만들려고 합니다. 만들 수 있는 두 번째로 작은 소수 두 자리 수와 두 번째로 큰 소수 세 자리 수를 구하고 두 수의 합을 구해 보세요.

두 번째로 작은 소수 두 자리 수	두 번째로 큰 소수 세 자리 수

(   )

정답과 풀이 p.11

3 고속도로에는 기점 표지판이 있습니다. 기점 표지판은 고속도로가 시작되는 기점에서 현재 위치까지의 거리를 알려주는 표지판입니다. 다음은 기점 표지판 사이를 똑같이 10칸으로 나눈 것입니다. 채린이네 자동차와 광고판 사이의 거리는 몇 km인지 구해 보세요.

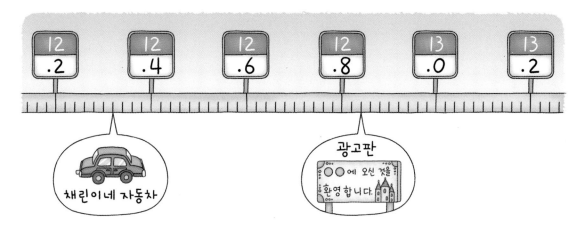

① 채린이네 자동차가 있는 곳의 위치는 기점으로부터 몇 km 떨어진 곳일까요?

(　　　　　　　)

먼저 눈금 한 칸의 크기를 구합니다.

② 광고판이 있는 곳의 위치는 기점으로부터 몇 km 떨어진 곳일까요?

(　　　　　　　)

③ 채린이네 자동차와 광고판 사이의 거리는 몇 km일까요?

(　　　　　　　)

3. 소수의 덧셈과 뺄셈

맞은 개수

1 모눈종이 전체의 크기를 1이라고 할 때 색칠된 부분의 크기를 소수로 나타내고 소수를 읽어 보세요.

쓰기 (   )

읽기 (   )

2 ☐ 안에 알맞은 수를 써넣으세요.

(1) 1.7의 $\frac{1}{10}$은 ☐ 이고, $\frac{1}{100}$은 ☐ 입니다.

(2) 0.248의 10배는 ☐ 이고, 1000배는 ☐ 입니다.

3 관계있는 것끼리 이어 보세요.

0.9＋0.3 •   • 2.5－1.4

0.5＋0.8 •   • 4.3－3.1

0.4＋0.7 •   • 3.1－1.8

4 빈칸에 알맞은 수를 써넣으세요.

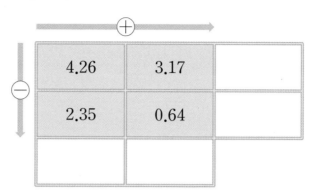

5 계산이 <u>잘못된</u> 곳을 찾아 바르게 계산해 보세요.

$$\begin{array}{r} 7.1\ 5 \\ -\quad 2.9 \\ \hline 6.8\ 6 \end{array}$$ →

6 계산 결과를 비교하여 ◯ 안에 >, =, <를 알맞게 써넣으세요.

$0.82 + 0.57$ ◯ $4.16 - 2.58$

7 ☐ 안에 알맞은 수를 써넣으세요.

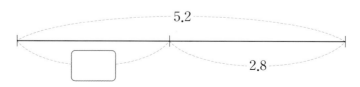

8 숫자 5가 나타내는 수가 가장 작은 것을 찾아 기호를 써 보세요.

> ㉠ 1.524   ㉡ 5.86
>
> ㉢ 4.165   ㉣ 0.35

(   )

9 ☐ 안에 알맞은 수를 써넣으세요.

$$
\begin{array}{r}
0\ .\ 7\ 4 \\
+\ 0\ .\ 2\ 9 \\
\hline
\boxed{}
\end{array}
\Rightarrow
\begin{array}{r}
0.01이\ \boxed{}개 \\
+\ 0.01이\ \boxed{}개 \\
\hline
0.01이\ \boxed{}개
\end{array}
$$

10 빈칸에 알맞은 수를 써넣으세요.

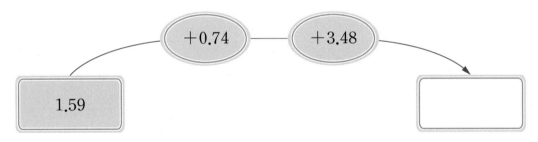

11 소수에서 ㉠이 나타내는 값은 ㉡이 나타내는 값의 몇 배일까요?

> $8\ .\ 2\underset{㉠}{5}\underset{㉡}{2}$

(   )

12 두 무게의 합은 몇 kg일까요?

> 1.48 kg   690 g

(   )

13 가장 큰 수와 가장 작은 수의 합에서 나머지 수를 뺀 값을 구해 보세요.

> 5.78   2.09   3.25

(   )

14 8.09와 같은 수를 찾아 ◯표 하세요.

> $\dfrac{89}{100}$ $8\dfrac{9}{100}$ $8\dfrac{9}{10}$ 8.9

15 길이가 3.6 m인 철사가 있습니다. 미술 시간에 철사 1.07 m를 사용했다면 남은 철사는 몇 m인지 구해 보세요.

(   )

16 조건을 만족하는 소수를 써 보세요.

> • 소수 두 자리 수입니다.
> • 5보다 크고 6보다 작습니다.
> • 소수 첫째 자리 숫자는 7입니다.
> • 소수 둘째 자리 숫자는 3입니다.

(   )

17 어떤 수에서 3.79를 빼야 할 것을 잘못하여 더했더니 9.52가 되었습니다. 바르게 계산한 값을 구해 보세요.

(   )

18 ☐ 안에 알맞은 수를 써넣으세요.

$$
\begin{array}{r}
4 \,.\, \boxed{} \, 8 \\
+\ \boxed{} \,.\, 5 \, \boxed{} \\
\hline
9 \,.\, 2 \ 3
\end{array}
$$

1 다음은 가영이네 집의 구조를 보여주는 평면도입니다. 물음에 답하세요.

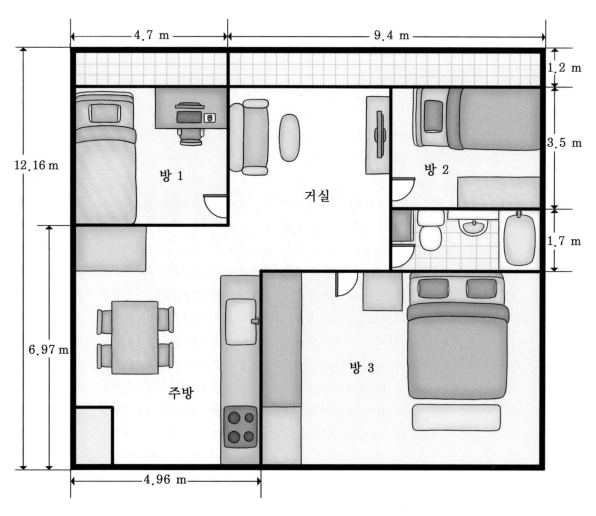

(1) 방 1의 세로는 몇 m일까요?

(   )

(2) 방 3의 가로는 몇 m일까요?

(   )

(3) 방 3의 세로는 몇 m일까요?

(   )

4 사각형

실생활에서 수직과
평행을 이용한 무늬를
찾아보아요.

수직과 평행을 이용한 무늬

고궁의 건축물, 계단, 그리고 조각보의 무늬에서 두 직선이 만나 직각을 이루는 부분과 아무리 늘여도 서로 만나지 않는 부분을 찾아볼까요?

✿ 고궁의 건축물

문에 있는 무늬에서 수직과 평행을 찾을 수 있습니다.

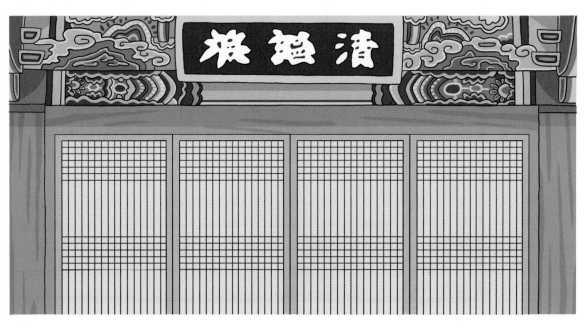

✿ 계단

계단에서 수직과 평행을 찾을 수 있습니다.

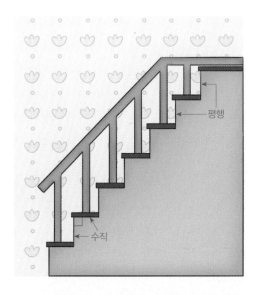

✿ 조각보

조각보는 쓰다 남은 색색의 천 조각을 이어 붙여서 만든 것으로 덮개, 받침, 장식 등에 사용합니다.

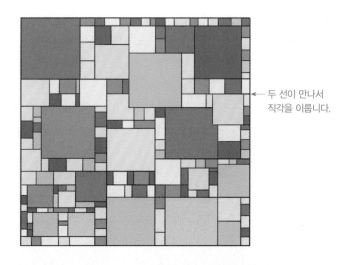

두 선이 만나서
직각을 이룹니다.

삼각자에서 직각인 부분에 ◯표 하세요.

❶

❷
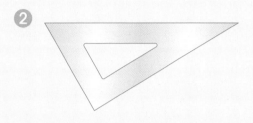

각도기를 사용하여 선분 ㄱㄴ을 한 변으로 하고 크기가 90°인 각을 그려 보세요.

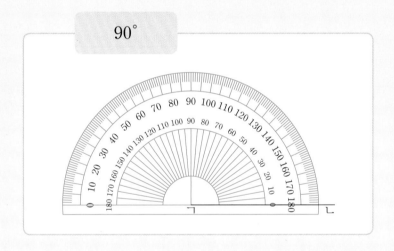

90°

아무리 늘여도 서로 만나지 않는 두 직선을 찾아 기호를 써 보세요.

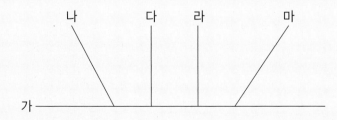

직선 ☐ 와 직선 ☐

개념 **1** 수직 알아보기

- 두 직선이 만나서 이루는 각이 **직각**일 때, 두 직선은 서로 수직이라고 합니다.
- 두 직선이 서로 **수직**으로 만나면 한 직선을 다른 직선에 대한 수선이라고 합니다.

- 수선 긋기

  방법1 삼각자의 직각인 부분을 이용하여 주어진 직선에 대한 수선 긋기

  방법2 각도기의 90°가 되는 눈금 위에 점을 찍어 주어진 직선에 대한 수선 긋기

  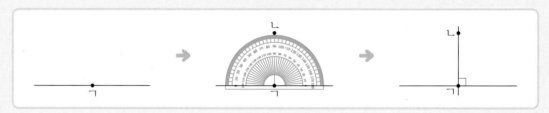

개념 **2** 평행 알아보기

- 한 직선에 수직인 두 직선은 서로 만나지 않습니다.
  이와 같이 서로 만나지 않는 두 직선을 평행하다고 합니다.
- 평행한 두 직선을 평행선이라고 합니다.

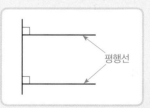

- 삼각자를 사용하여 평행선 긋기

두 삼각자를 그림과 같이 맞추어 한 직선을 긋습니다.

왼쪽 삼각자를 고정시키고 오른쪽 삼각자를 밑으로 내려 다른 직선을 긋습니다.

개념 확인 문제

1-1 그림을 보고 물음에 답하세요.

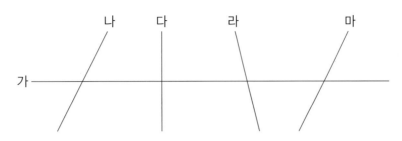

(1) 직선 가에 수직인 직선을 찾아 써 보세요.

직선 (   )

(2) 직선 가에 대한 수선을 찾아 써 보세요.

직선 (   )

3 주
교과서

1-2 각도기와 삼각자를 사용하여 주어진 직선에 대한 수선을 그어 보세요.

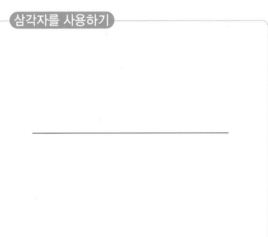

2-1 그림을 보고 ☐ 안에 알맞은 말을 써넣으세요.

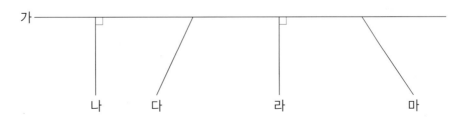

(1) 직선 가에 수직인 두 직선은 직선 ☐와 직선 ☐입니다.

(2) 직선 나와 직선 라는 서로 ☐합니다.

개념 **3** 평행선 사이의 거리 알아보기

- 평행선 사이의 거리: 평행선의 한 직선에서 다른 직선에 그은 수선의 길이

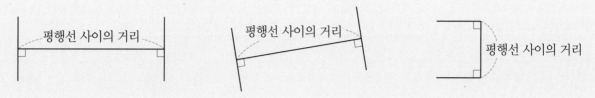

- 평행선 사이의 거리 재기

  삼각자를 사용하여 평행선 사이에 수직인 선분을 긋고 그은 선분의 길이를 자로 잽니다.

참고 ① 평행선 사이에 그은 선분 중 수선의 길이가 가장 짧습니다.

② 평행선 사이의 거리는 어느 곳에서 재어도 모두 같습니다.

개념 **4** 사다리꼴 알아보기

- 사다리꼴: 평행한 변이 한 쌍이라도 있는 사각형

- 직사각형 모양의 종이띠를 잘라서 만든 도형

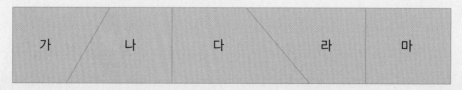

직사각형 모양의 종이띠를 위와 같은 선을 따라 잘랐을 때 잘라 낸 도형들은 위와 아래의 변이 서로 평행하기 때문에 모두 사다리꼴입니다.

개념 확인 문제

3-1 평행선 사이의 거리는 몇 cm일까요?

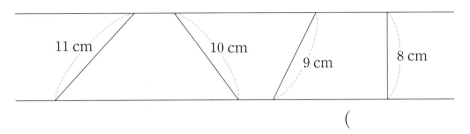

(   )

3-2 평행선 사이의 거리를 재어 보세요.

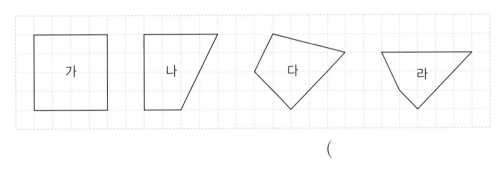

(1) (   ) (2) (   )

4-1 사다리꼴을 모두 찾아 기호를 써 보세요.

(   )

4-2 주어진 선분을 이용하여 사다리꼴을 완성해 보세요.

(1)  (2)

개념 5 **평행사변형 알아보기**

- 평행사변형: 마주 보는 두 쌍의 변이 서로 평행한 사각형

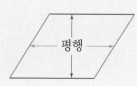 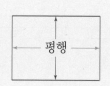 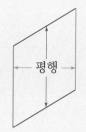

- 평행사변형의 성질

마주 보는 두 변의 길이가 같습니다.	마주 보는 두 각의 크기가 같습니다.	이웃한 두 각의 크기의 합이 180°입니다.
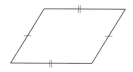	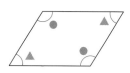	

개념 6 **마름모 알아보기**

- 마름모: 네 변의 길이가 모두 같은 사각형

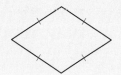 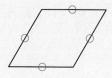

- 마름모의 성질

네 변의 길이가 모두 같습니다.	마주 보는 두 각의 크기가 같습니다.
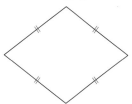	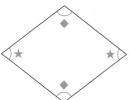
이웃한 두 각의 크기의 합이 180°입니다.	마주 보는 꼭짓점끼리 이은 선분이 서로 수직으로 만나고 이등분합니다.
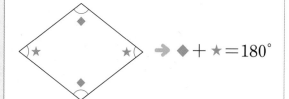	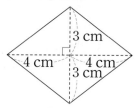

개념 확인 문제

5-1 평행사변형을 모두 찾아 기호를 써 보세요.

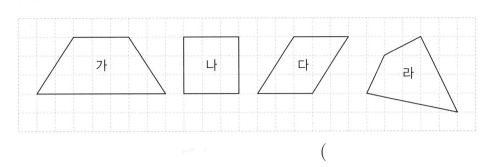

(   )

5-2 평행사변형을 보고 ☐ 안에 알맞은 수를 써넣으세요.

(1)
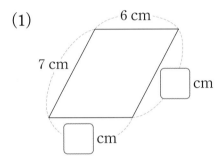

(2)
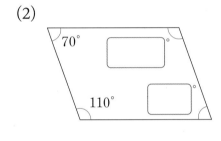

6-1 마름모를 모두 찾아 기호를 써 보세요.

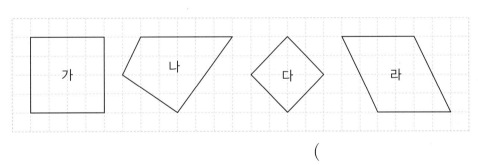

(   )

6-2 마름모를 보고 ☐ 안에 알맞은 수를 써넣으세요.

(1)
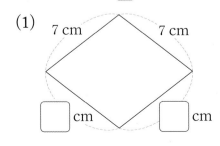

(2)
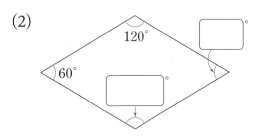

개념 7 직사각형과 정사각형의 성질 알아보기

• 직사각형의 성질

① 네 각이 모두 직각입니다.
② 마주 보는 두 변의 길이가 같습니다.
③ 마주 보는 두 쌍의 변이 서로 평행합니다.

• 정사각형의 성질

① 네 각이 모두 직각입니다.
② 네 변의 길이가 모두 같습니다.
③ 마주 보는 두 쌍의 변이 서로 평행합니다.

참고 *직사각형과 정사각형의 관계*

① 정사각형은 직사각형이라고 할 수 있습니다.
② 직사각형은 정사각형이라고 할 수 없습니다.

개념 8 여러 가지 사각형의 관계

여러 가지 사각형 분류하기

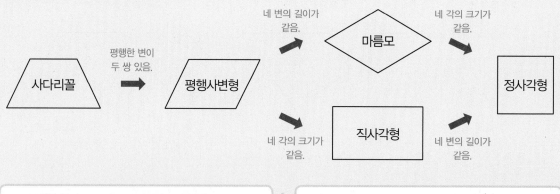

평행한 변이 한 쌍이라도 있습니다.	사다리꼴, 평행사변형, 마름모, 직사각형, 정사각형
마주 보는 두 쌍의 변이 서로 평행합니다.	평행사변형, 마름모, 직사각형, 정사각형
네 변의 길이가 모두 같습니다.	마름모, 정사각형
네 각이 모두 직각입니다.	직사각형, 정사각형

개념 확인 문제

7-1 직사각형과 정사각형을 각각 모두 찾아 기호를 써 보세요.

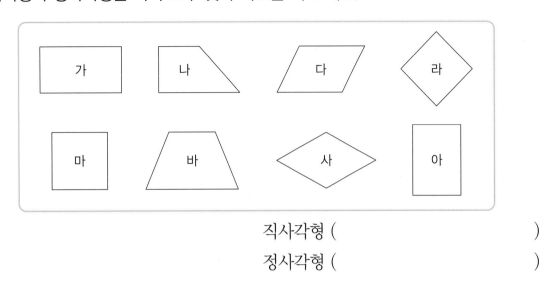

직사각형 (   )

정사각형 (   )

7-2 두 사각형의 공통된 이름이 될 수 있는 것에 ○표 하세요.

(마름모 , 직사각형 , 정사각형)

8-1 직사각형 모양의 종이띠를 선을 따라 자를 때 생기는 도형을 보고 물음에 답하세요.

| 가 | 나 | 다 | 라 | 마 | 바 |

(1) 사다리꼴을 모두 찾아 기호를 써 보세요.

(   )

(2) 평행사변형을 모두 찾아 기호를 써 보세요.

(   )

(3) 직사각형을 모두 찾아 기호를 써 보세요.

(   )

(4) 정사각형을 찾아 기호를 써 보세요.

(   )

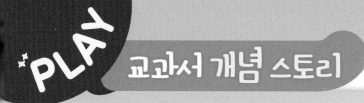

교과서 개념 스토리 **애벌레의 몸 완성하기**

준비물 붙임딱지

애벌레의 설명에 알맞은 자음자, 알파벳, 도형 붙임딱지를 알맞게 붙여 애벌레의 몸을 완성해 보세요.

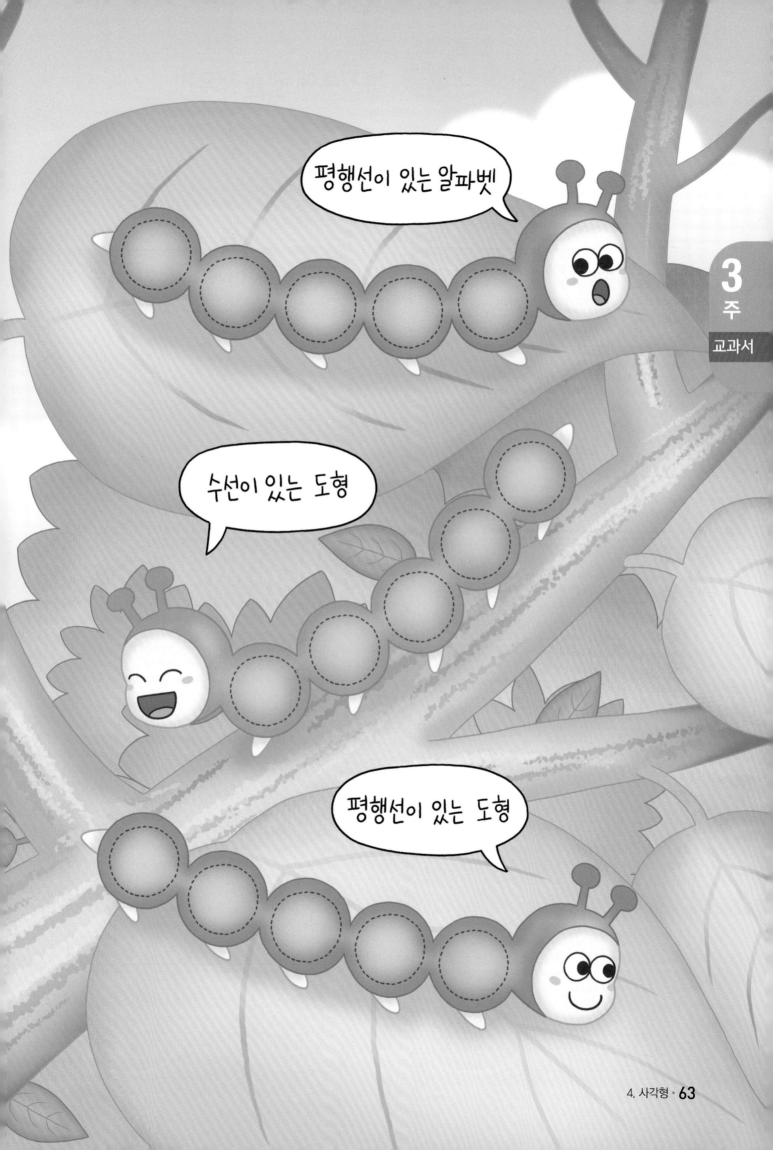

준비물 붙임딱지

각 뽑기통에 알맞은 캡슐 붙임딱지를 모두 찾아 붙여 보세요.

의 이름이 적힌 캡슐

사각형

의 이름이 적힌 캡슐

의 이름이 적힌 캡슐

의 이름이 적힌 캡슐

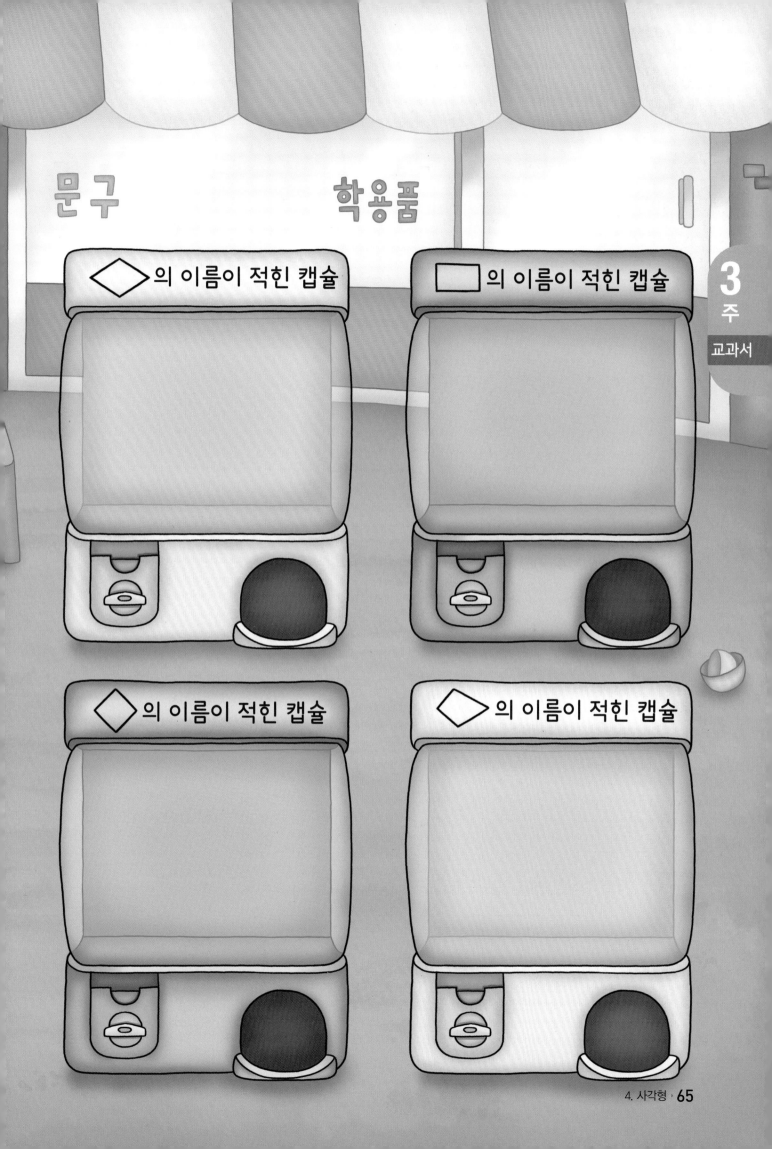

개념 1 수직 알아보기

01 변 ㄱㄴ에 수직인 변을 찾아 써 보세요.

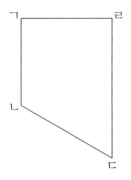

(   )

02 각도기를 사용하여 점 ㄱ을 지나고 직선 가에 수직인 직선을 그리려고 합니다. 점 ㄱ과 직선으로 이어야 하는 점은 어느 것일까요? ·· (   )

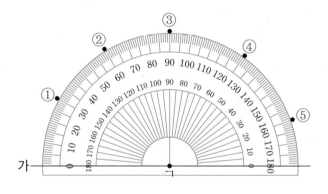

03 서로 수직인 변이 있는 도형을 모두 찾아 기호를 써 보세요.

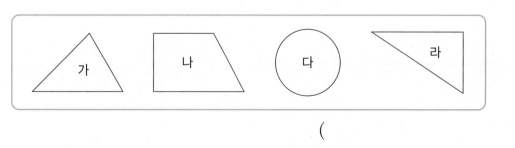

(   )

개념 2   평행 알아보기

04   직사각형에서 서로 평행한 변을 모두 찾아 써 보세요.

→ _____

05   삼각자를 사용하여 평행선을 바르게 그은 것에 ◯표 하세요.

   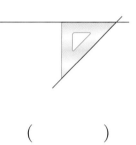   

(   )   (   )   (   )

06   점 ㄱ을 지나고 직선 가와 평행한 직선을 그어 보세요.

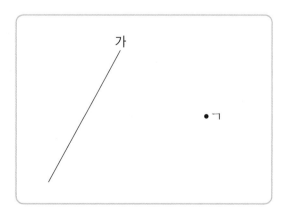

개념3 평행선 사이의 거리 알아보기

07 도형에서 평행선 사이의 거리는 몇 cm일까요?

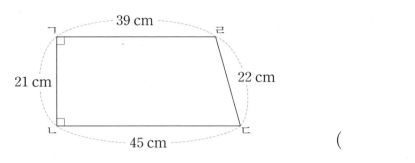

(   )

08 평행선 사이의 거리가 2 cm가 되도록 직선 가와 평행한 서로 다른 직선 2개를 그어 보세요.

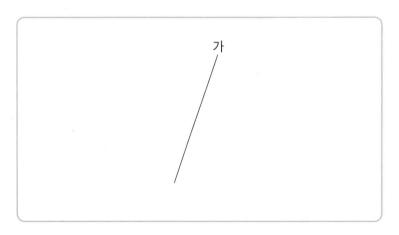

09 평행선 사이의 거리에 대해서 <u>잘못</u> 말한 친구의 이름을 써 보세요.

(   )

개념 4 사다리꼴, 평행사변형 알아보기

10 사다리꼴에서 서로 평행한 변을 찾아 써 보세요.

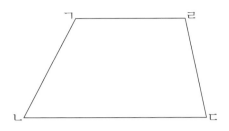

➡ _____

11 평행사변형의 네 변의 길이의 합은 몇 cm일까요?

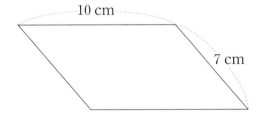

(   )

12 점 종이에서 꼭짓점 한 개만 옮겨서 평행사변형을 만들어 보세요.

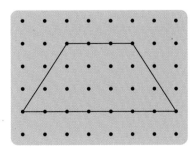

개념5 마름모 알아보기

13 사각형 ㄱㄴㄷㄹ은 마름모입니다. 각 ㄱㄴㄷ의 크기는 몇 도인지 구해 보세요.

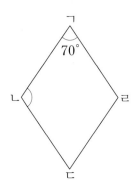

(   )

14 사각형 ㄱㄴㄷㄹ은 마름모입니다. ☐ 안에 알맞은 수를 써넣으세요.

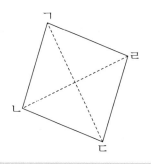

선분 ㄱㄷ과 선분 ㄴㄹ이 만나서 이루는 각도는 ☐° 입니다.

15 마름모의 네 변의 길이의 합은 32 cm입니다. 변 ㄴㄷ의 길이는 몇 cm일까요?

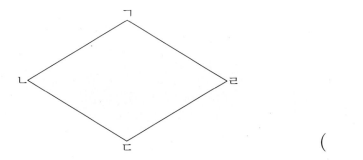

(   )

3 주
교과서

개념 6 **직사각형, 정사각형 알아보기**

16 직사각형의 네 변의 길이의 합은 몇 cm일까요?

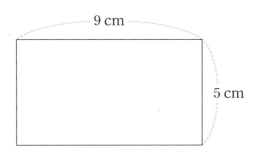

9 cm

5 cm

(   )

17 정사각형을 보고 ☐ 안에 알맞은 수를 써넣으세요.

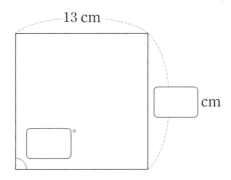

13 cm

cm

18 직사각형과 정사각형에 대한 설명으로 알맞은 말에 ○표 하세요.

(1) 모든 정사각형은 직사각형이라고 할 수 (있습니다 , 없습니다).

(2) 모든 직사각형은 정사각형이라고 할 수 (있습니다 , 없습니다).

★ 수선도 있고 평행선도 있는 도형

1 수선도 있고 평행선도 있는 도형을 모두 찾아 기호를 써 보세요.

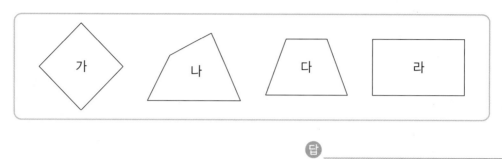

답 _____

개념
피드백
• 두 직선이 서로 수직으로 만났을 때, 한 직선을 다른 직선에 대한 수선이라고 합니다.

• 서로 만나지 않는 두 직선을 평행하다고 하며, 평행한 두 직선을 평행선이라고 합니다.

1-1 수선도 있고 평행선도 있는 도형을 찾아 기호를 써 보세요.

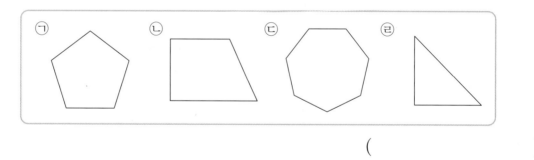

( )

1-2 수선도 있고 평행선도 있는 알파벳을 모두 찾아 써 보세요.

$$A \quad C \quad E \quad H \quad L \quad M \quad Z$$

( )

★ **평행선 찾기**

2 도형에서 변 ㄱㄴ과 평행한 변을 찾아 써 보세요.

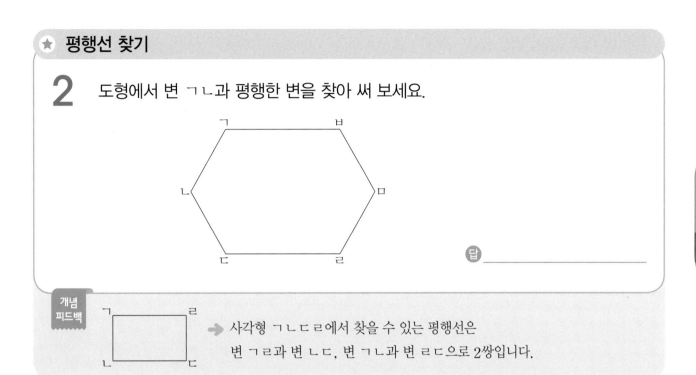

답 _____

개념
피드백

➡ 사각형 ㄱㄴㄷㄹ에서 찾을 수 있는 평행선은
변 ㄱㄹ과 변 ㄴㄷ, 변 ㄱㄴ과 변 ㄹㄷ으로 2쌍입니다.

2-1 도형에서 찾을 수 있는 평행선은 모두 몇 쌍일까요?

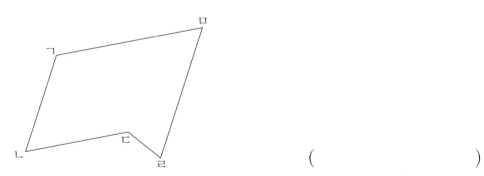

(   )

2-2 도형에서 찾을 수 있는 평행선은 모두 몇 쌍일까요?

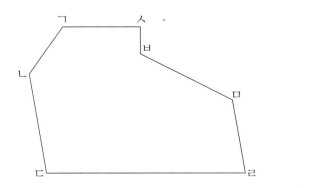

(   )

★ 수선을 이용하여 각의 크기 구하기

3 직선 가와 직선 다는 서로 수직으로 만납니다. ☐ 안에 알맞은 수를 써넣으세요.

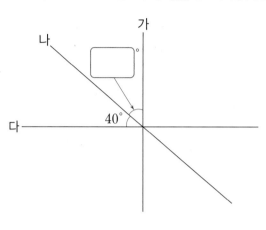

3-1 직선 가에 대한 수선이 직선 나입니다. ☐ 안에 알맞은 수를 써넣으세요.

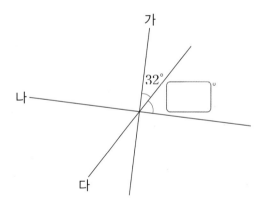

3-2 직선 가는 직선 다에 대한 수선입니다. ㉠과 ㉡의 각도의 합을 구해 보세요.

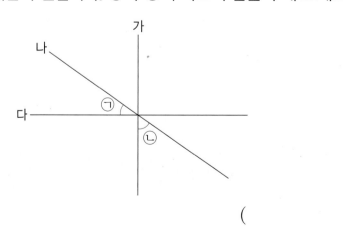

(   )

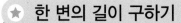
★ 한 변의 길이 구하기

4 네 변의 길이의 합이 60 cm인 정사각형입니다. 정사각형의 한 변의 길이를 구해 보세요.

답 _____

3
주

교과서

 개념 피드백

① 정사각형, 마름모 ➡ 네 변의 길이가 같습니다.

② 직사각형, 평행사변형 ➡ 마주 보는 두 변의 길이가 같습니다.

4-1 네 변의 길이의 합이 50 cm인 직사각형입니다. 변 ㄱㄴ의 길이는 몇 cm일까요?

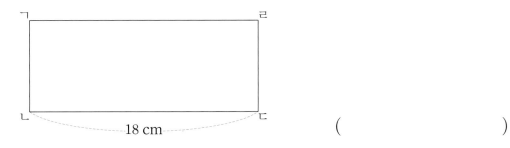

(   )

4-2 네 변의 길이의 합이 48 cm인 평행사변형입니다. 변 ㄴㄷ의 길이는 몇 cm일까요?

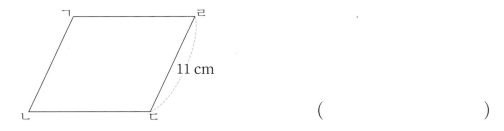

(   )

★ **여러 가지 사각형의 관계**

5 다음 직사각형이 평행사변형인 이유를 써 보세요.

이유 _____

_____

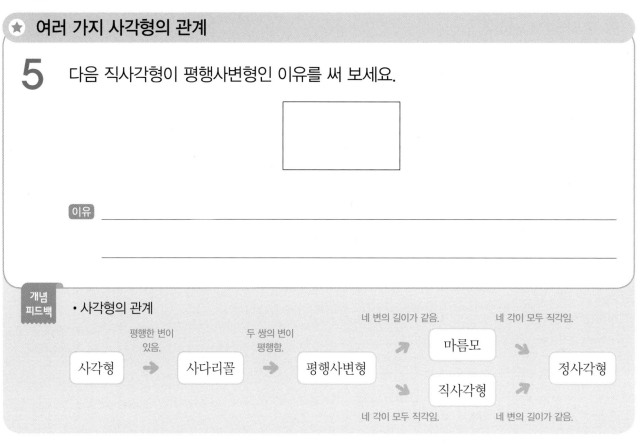

개념
피드백 • 사각형의 관계

사각형 → 사다리꼴 → 평행사변형 → 마름모 → 정사각형 → 직사각형

평행한 변이 있음. / 두 쌍의 변이 평행함. / 네 변의 길이가 같음. / 네 각이 모두 직각임. / 네 각이 모두 직각임. / 네 변의 길이가 같음.

5-1 다음 평행사변형이 사다리꼴인 이유를 써 보세요.

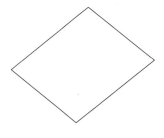

이유 _____

_____

5-2 다음 정사각형이 마름모인 이유를 써 보세요.

이유 _____

_____

★ **그림에서 찾을 수 있는 크고 작은 사각형의 수**

6 그림에서 찾을 수 있는 크고 작은 평행사변형은 모두 몇 개일까요?

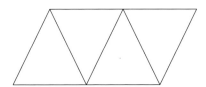

답 _____

개념 피드백

• 크고 작은 사다리꼴 찾기

① 가, 나, 다는 위와 아래의 변이 평행하기 때문에 모두 사다리꼴입니다.
② 가+나, 나+다, 가+나+다도 위와 아래의 변이 평행하기 때문에 모두 사다리꼴입니다.

6-1 그림에서 찾을 수 있는 크고 작은 사다리꼴은 모두 몇 개일까요?

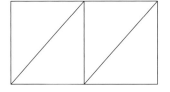

(   )

6-2 그림에서 찾을 수 있는 크고 작은 마름모는 모두 몇 개일까요?

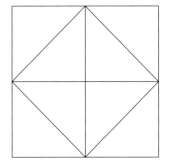

(   )

1 오른쪽 도형에서 서로 평행한 두 변을 찾아 평행선
사이의 거리를 재어 보세요.

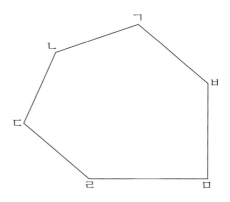

해결하기 도형에서 서로 평행한 두 변을 찾으면 변 ☐ 과 변 ☐ 입니다.

따라서 평행선 사이의 거리를 재어 보면 ☐ cm입니다.

답 구하기 ☐ cm

2 오른쪽 도형에서 서로 평행한 두 변을 찾아 평행선
사이의 거리를 재어 보세요.

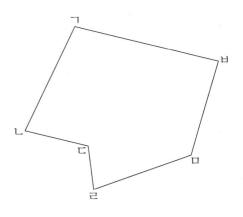

해결하기

답 구하기

3 사각형 ㄱㄴㄷㄹ은 마름모입니다. 각 ㄱㄴㄷ의 크기는 몇 도인지 구해 보세요.

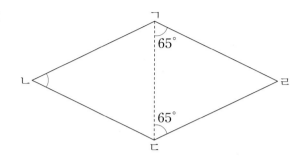

해결하기 마름모는 마주 보는 두 각의 크기가 같으므로 (각 ㄱㄴㄷ)=(각 [   ])입니다.

삼각형 ㄱㄷㄹ의 세 각의 크기의 합은 [   ]°이므로

(각 ㄱㄹㄷ)=[   ]°-65°-65°=[   ]°입니다.

따라서 (각 ㄱㄴㄷ)=[   ]°입니다.

답 구하기 [   ]°

4 사각형 ㄱㄴㄷㄹ은 마름모입니다. 각 ㄴㄹㄷ의 크기는 몇 도인지 구해 보세요.

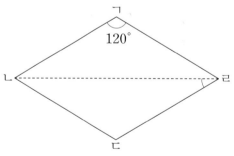

해결하기

답 구하기

준비물 붙임딱지

칠교판으로 만든 작품을 전시하는 전시관입니다. 칠교판 조각 붙임딱지를 붙여서 사각형 전시 작품을 완성하고 알맞은 작품의 이름 붙임딱지를 붙여 보세요.

사다리꼴

사고력 개념 스토리   규칙에 맞는 단어 만들기

자음자와 모음자 붙임딱지를 붙여 규칙에 맞는 단어를 만들어 보세요.

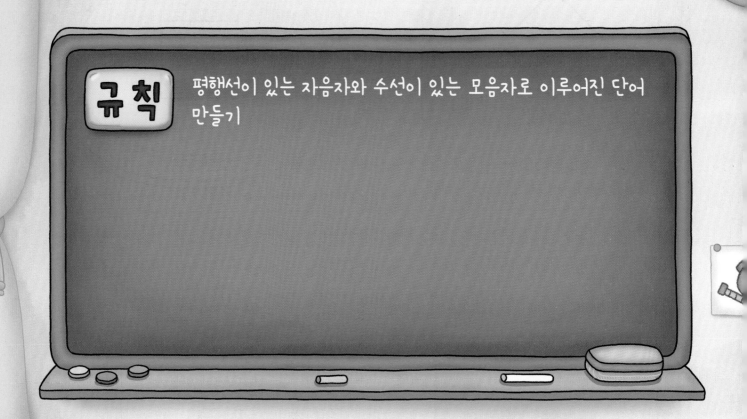

규칙 평행선이 있는 자음자와 수선이 있는 모음자로 이루어진 단어 만들기

규칙 수선이 2쌍보다 많은 단어 만들기

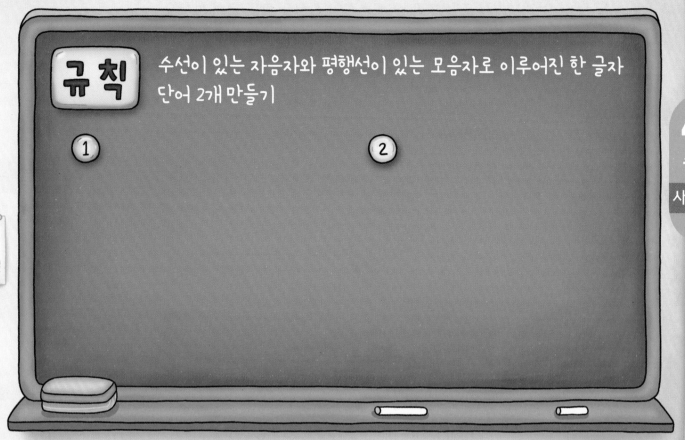

규칙 수선이 있는 자음자와 평행선이 있는 모음자로 이루어진 한 글자 단어 2개 만들기

① ②

규칙 수선과 평행선이 있는 과목 이름 2개 만들기

① ②

1 단계 교과 사고력 잡기

1 점 ○을 지나면서 도형의 각 변에 수직인 직선을 모두 그어 보세요.

①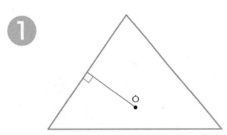

②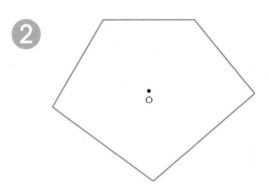

③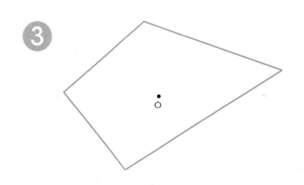

④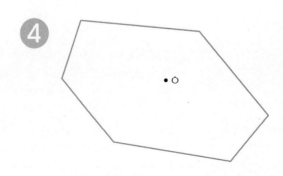

2 다음 도형에서 평행한 변을 알아보세요.

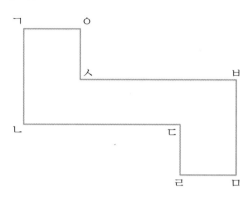

① 변 ㄱㄴ과 평행한 변을 모두 써 보세요.

(   )

② 변 ㄹㅁ과 평행한 변을 모두 써 보세요.

(   )

③ 변 ㅇㅅ과 변 ㄷㄹ은 서로 평행한지 쓰고 이유를 써 보세요.

(   )

이유 _____

_____

3 보기 와 같이 사각형의 꼭짓점 ㄱ을 지나는 직선을 그어서 사다리꼴을 만들고 색칠해 보세요.

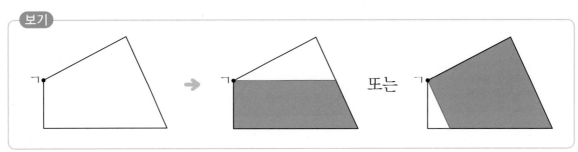

①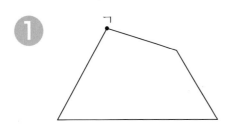

②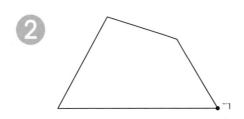

③

4 위에서 본 모양이 직사각형 모양인 케이크가 있습니다. 케이크를 가능한 한 가장 큰 정사각형 모양이 되도록 3번 잘라 정사각형 모양의 조각은 모두 나누어 먹었습니다. 남은 케이크의 네 변의 길이의 합은 몇 cm인지 구해 보세요.

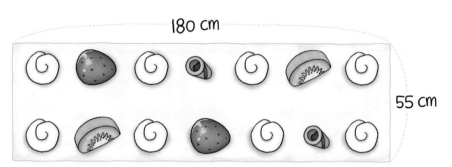

180 cm

55 cm

1 케이크를 3번 잘라서 가능한 한 가장 큰 정사각형 모양의 조각으로 자를 때, 정사각형의 한 변의 길이는 몇 cm일까요?

( )

2 남은 케이크의 가로와 세로를 각각 구해 보세요.

가로 ( )

세로 ( )

3 남은 케이크의 네 변의 길이의 합은 몇 cm일까요?

( )

4. 사각형 · **87**

1 색종이를 잘라서 만든 사각형 ㄱㄴㄷㄹ은 각 ㄴㄱㄹ과 각 ㄱㄹㄷ의 크기가 120°이고 세 변 변 ㄴㄱ, 변 ㄱㄹ, 변 ㄹㄷ의 길이가 같습니다. 그림과 같이 사각형 ㄱㄴㄷㄹ 에서 변 ㄴㄱ이 변 ㄴㄷ과 일직선이 되게 접었을 때 각 ㅁㄹㄷ의 크기를 구해 보세요.

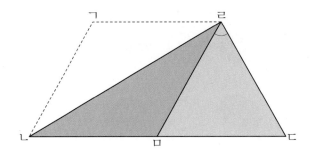

1 각 ㄱㄹㄴ의 크기를 구해 보세요.

(   )

2 각 ㄴㄹㅁ의 크기를 구해 보세요.

(   )

3 각 ㅁㄹㄷ의 크기를 구해 보세요.

(   )

2 직사각형 모양의 색종이를 그림과 같이 두 번 접은 후 빨간색 선을 따라 잘랐습니다. 자른 종이를 펼쳤을 때 만들어지는 사각형의 두 대각선의 길이의 차를 구해 보세요.

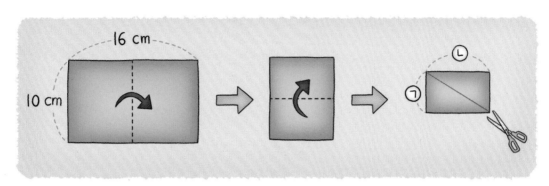

1 위 그림에서 ㉠과 ㉡의 길이를 각각 구해 보세요.

㉠ (   )

㉡ (   )

2 자른 종이를 펼쳤을 때 만들어지는 사각형의 이름을 써 보세요.

(   )

3 만들어지는 사각형의 두 대각선의 길이의 차는 몇 cm일까요?

(   )

3 모양과 크기가 같은 마름모 모양의 색종이 5장을 이어 붙여 만든 별 모양입니다. 표시한 각의 크기의 합을 구해 보세요.

① 마름모의 성질로 알맞은 말에 ○표 하세요.

마름모는 (마주 보는 두 각 , 네 각)의 크기가 같습니다.

② 마름모의 성질을 이용하여 표시한 각의 크기의 합을 구하고 설명해 보세요.

(   )

설명 _____

_____

_____

4 그림과 같이 한 변의 길이가 10 cm인 정사각형 모양 치즈의 한가운데를 한 변의 길이가 4 cm인 정사각형 모양으로 잘라내고, 남은 치즈를 크기와 모양이 같은 4개의 직사각형 모양으로 나누었습니다. 그리고 나눈 치즈를 긴 변을 맞닿게 이어 붙였을 때 만들어지는 직사각형에 대하여 알아보세요.

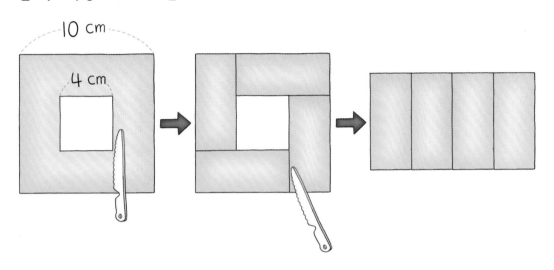

❶ 긴 변을 맞닿게 이어 붙여서 만든 직사각형 모양의 치즈는 정사각형 모양인지 쓰고 이유를 써 보세요.

(   )

이유 _____

_____

_____

❷ 같은 방법으로 이어 붙여서 만든 직사각형 모양의 치즈가 정사각형 모양이 되려면 한가운데에 잘라내는 정사각형 모양 치즈의 한 변의 길이를 몇 cm로 해야 할까요?

(   )

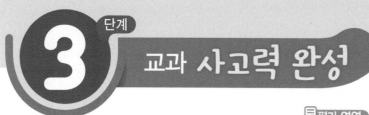

3 ^{단계} 교과 사고력 완성

평가 영역 ☑개념 이해력 ☐개념 응용력 ☐창의력 ☐문제 해결력

1 그림에서 찾을 수 있는 🤍를 포함한 크고 작은 정사각형은 모두 몇 개일까요?

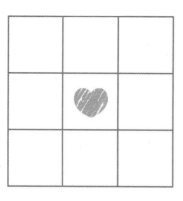

(   )

평가 영역 ☑개념 이해력 ☐개념 응용력 ☐창의력 ☐문제 해결력

2 그림에서 찾을 수 있는 ⭐을 포함한 크고 작은 직사각형은 모두 몇 개일까요?

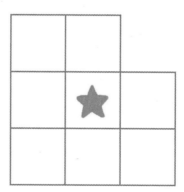

(   )

 작은 정사각형이 1개, 2개, 3개, 4개, 6개인 직사각형을 찾아봅니다.

3 점 종이에 주어진 선분을 한 변으로 하는 사각형은 몇 개까지 만들 수 있는지 구해 보세요.

①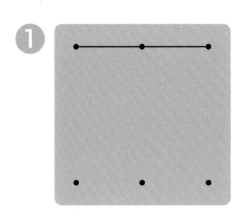

(   )

②

(   )

1 그림을 보고 물음에 답하세요.

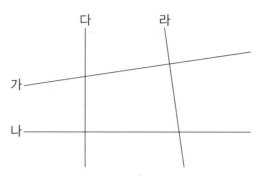

(1) 직선 나에 수직인 직선을 찾아 써 보세요.

(   )

(2) 직선 가에 대한 수선을 찾아 써 보세요.

(   )

2 다음 도형에서 평행선은 모두 몇 쌍일까요?

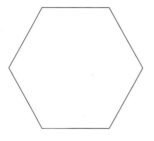

(   )

3 각도기를 사용하여 직선 가에 수직인 직선을 바르게 그은 것을 찾아 기호를 써 보세요.

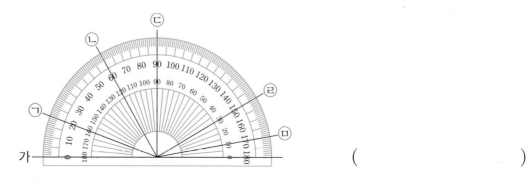

(   )

[4~5] 그림을 보고 물음에 답하세요.

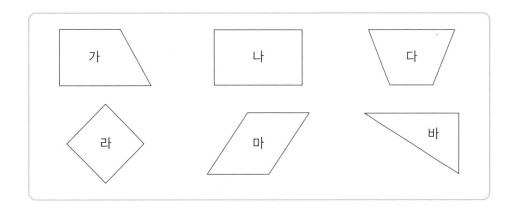

4 사다리꼴을 모두 찾아 기호를 써 보세요.

(   )

5 평행사변형을 모두 찾아 기호를 써 보세요.

(   )

6 평행선 사이의 거리는 몇 cm일까요?

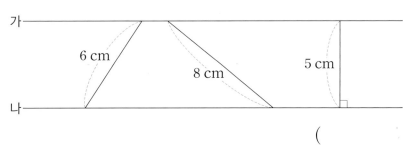

(   )

7 평행사변형에서 ㉠은 몇 도인지 구해 보세요.

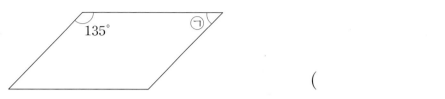

(   )

8 마름모를 보고 ☐ 안에 알맞은 수를 써넣으세요.

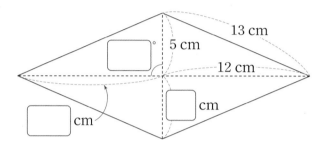

9 점 ㄱ을 지나고 주어진 직선과 평행한 직선을 그어 보세요.

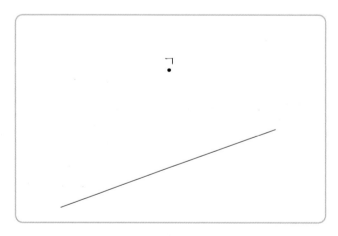

10 직사각형 모양의 종이띠를 선을 따라 잘랐을 때 생기는 사다리꼴은 모두 몇 개일까요?

(   )

11 사각형 ㄱㄴㄷㄹ은 네 변의 길이의 합이 36 cm인 마름모입니다. 변 ㄱㄹ의 길이는 몇 cm일까요?

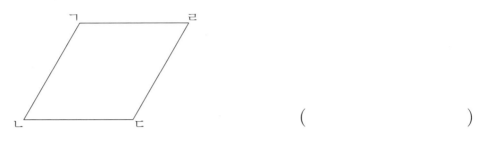

(   )

12 수선도 있고 평행선도 있는 자음자를 모두 찾아보세요.

(   )

13 여러 가지 사각형에 대한 설명입니다. 잘못된 설명을 찾아 기호를 써 보세요.

> ㉠ 모든 직사각형은 평행사변형입니다.
> ㉡ 모든 마름모는 정사각형입니다.
> ㉢ 모든 평행사변형은 사다리꼴입니다.
> ㉣ 모든 정사각형은 직사각형입니다.

(   )

14 직사각형 모양의 색종이를 그림과 같이 접어서 자른 후 펼쳤을 때 만들어지는 사각형을 그려 보고 사각형의 이름을 써 보세요.

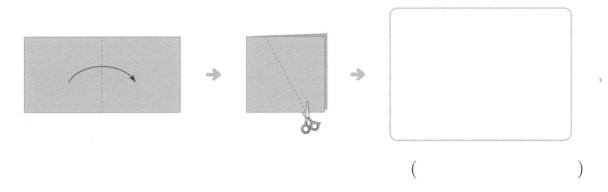

(   )

15 네 변의 길이의 합이 같은 평행사변형과 마름모입니다. ☐ 안에 알맞은 수를 써넣으세요.

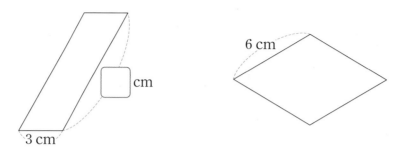

16 직선 가와 직선 다는 서로 수직으로 만납니다. ㉠의 크기를 구해 보세요.

(   )

17 그림과 같이 직사각형 모양의 색 테이프 2장을 겹쳤을 때, ㉠의 크기를 구해 보세요.

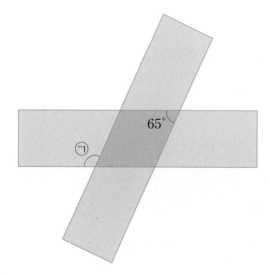

(   )

1 수미네 집에서 보는 신문은 가로가 788 mm, 세로가 545 mm인 직사각형 모양입니다. 수미는 신문지 4장을 돌돌 말아 만든 막대 4개로 여러 가지 사각형을 만들었습니다. 만든 사각형의 이름이 될 수 있는 것과 모두 이어 보세요.

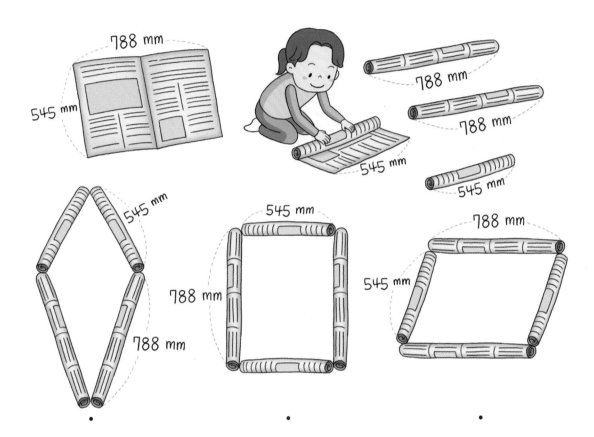

마름모   직사각형   사다리꼴   사각형

Memo

손 문제의 알맞은 곳에 붙임딱지를 붙여 보세요.

14~15쪽

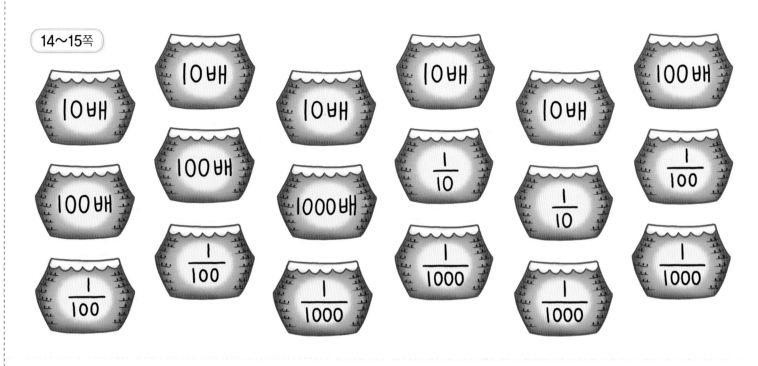

10배　10배　10배　10배　10배　100배

100배　100배　10배　$\dfrac{1}{10}$　$\dfrac{1}{10}$　$\dfrac{1}{100}$

$\dfrac{1}{100}$　$\dfrac{1}{100}$　1000배　$\dfrac{1}{1000}$　$\dfrac{1}{1000}$　$\dfrac{1}{1000}$

$\dfrac{1}{100}$　$\dfrac{1}{1000}$

16~17쪽

0.48　3.8　0.4　0.53

8.09　3.55　2.1　0.6　0.77

5.88　1.8　7.53

1.36　3.62　2.5　1.06　1.2

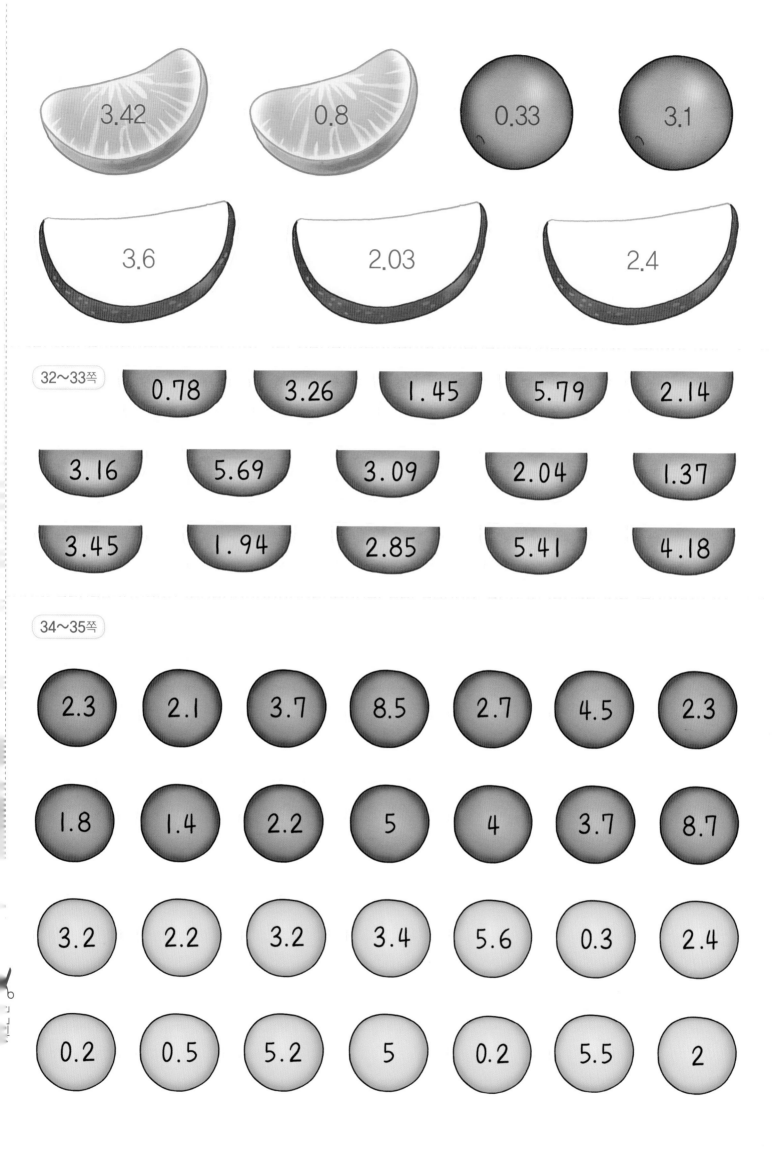

3.42   0.8   0.33   3.1

3.6   2.03   2.4

32~33쪽

0.78   3.26   1.45   5.79   2.14

3.16   5.69   3.09   2.04   1.37

3.45   1.94   2.85   5.41   4.18

34~35쪽

2.3   2.1   3.7   8.5   2.7   4.5   2.3

1.8   1.4   2.2   5   4   3.7   8.7

3.2   2.2   3.2   3.4   5.6   0.3   2.4

0.2   0.5   5.2   5   0.2   5.5   2

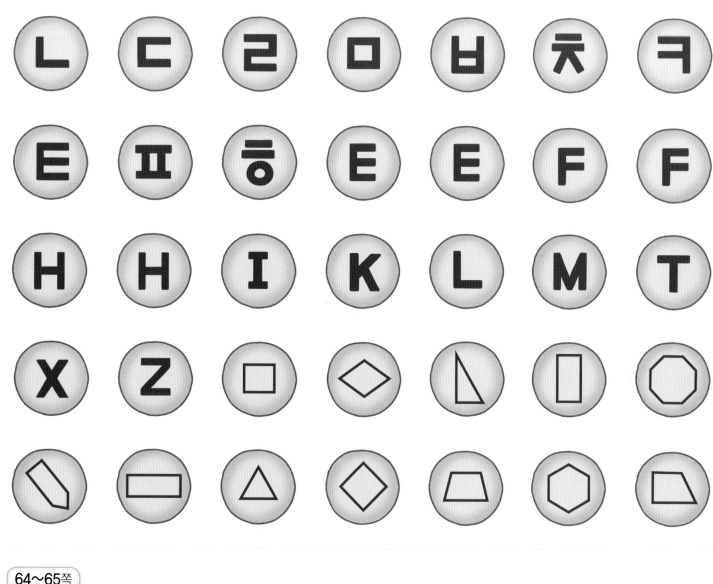

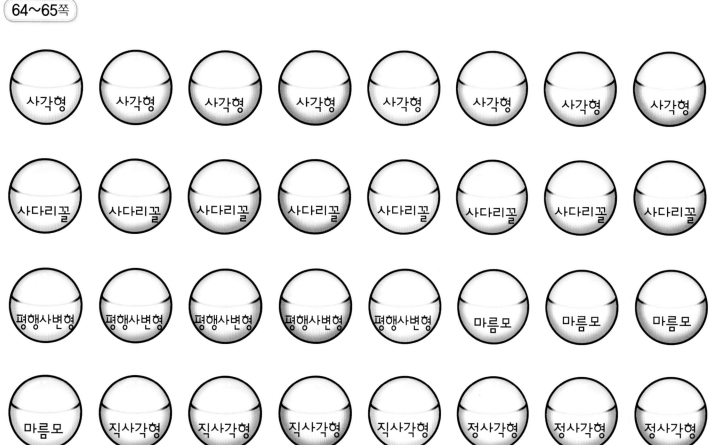

| 정사각형 | 마름모 | 직사각형 | 평행사변형 |

| 사다리꼴 | 평행사변형 | 직사각형 | 정사각형 |

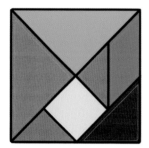 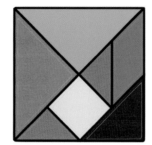  

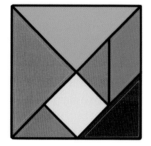 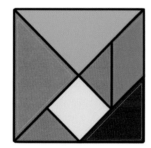  

ㄱㄱㄱㄴㄴㄷㄷ

ㄹㄹㅁㅁㅂㅂㅅㅅ

ㅇㅇㅇㅈㅈㅊㅋㅌ

ㅍㅎㅎㅏㅑㅓㅕㅗ

ㅗㅛㅜㅜㅠㅡㅣㅐㅔ

GO! 마쓰

GO!

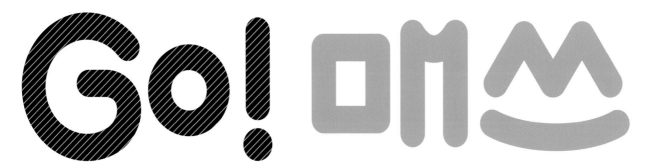

교과서 GO! 사고력 GO!

GO! 매쓰

Run-B

교과서 사고력

정답과 풀이

수학 4-2

열심히
풀었으니까,
한 번 맞춰 볼까?

3 소수의 덧셈과 뺄셈

1보다 작은 수 나타내기

1 cm보다 작은 길이를 나타낼 때에는 어떻게 할까요?
자에서 1 cm보다 작은 눈금은 0.1 cm, 0.2 cm, 0.3 cm……로 읽을 수 있습니다.

1보다 작은 수는 분수와 소수로 나타낼 수 있습니다.

$\frac{1}{10}=0.1$ $\frac{2}{10}=0.2$ $\frac{3}{10}=0.3$ $\frac{4}{10}=0.4$ $\frac{5}{10}=0.5$ ……

그렇다면 0.1보다 작은 소수는 어떻게 나타내면 좋을까요?

☆ 0.1보다 더 작은 소수 알아보기

• 0.1을 똑같이 10칸으로 나눈 것 중의 한 칸은 0.01(영 점 영일)로 나타냅니다.

$$\frac{1}{100}=0.01$$

• 0.01을 똑같이 10칸으로 나눈 것 중의 한 칸은 0.001(영 점 영영일)로 나타냅니다.

$$\frac{1}{1000}=0.001$$

$\frac{1}{10}=0.1$, $\frac{1}{100}=0.01$, $\frac{1}{1000}=0.001$에서 규칙을 살펴보면 분모가 10인 분수는 소수 한 자리 수가, 분모가 100인 분수는 소수 두 자리 수가, 분모가 1000인 분수는 소수 세 자리 수가 된다는 것을 알 수 있습니다.

☆ 길이를 소수로 나타내기

연필의 길이는 7 cm 2 mm입니다.
2 mm는 0.2 cm와 같으므로 연필의 길이는 소수로 7.2 cm라고 나타낼 수 있습니다.

$$7 \text{ cm } 2 \text{ mm}=7.2 \text{ cm}$$

☐ 안에 알맞은 소수를 써넣으세요

(1) 7 mm = $\boxed{0.7}$ cm (2) 25 mm = $\boxed{2.5}$ cm

(3) 3 cm 6 mm = $\boxed{3.6}$ cm (4) 184 mm = $\boxed{18.4}$ cm

물병에 들어 있는 물의 양을 소수로 나타내고 소수의 크기를 비교해 보세요.

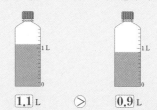

$\boxed{1.1}$ L > $\boxed{0.9}$ L

1단계 교과서 개념 잡기

개념 확인 문제

정답과 풀이 p.1

개념 1 소수 두 자리 수

• 0.01 알아보기

$$\frac{1}{100}=0.01$$ ➡ 쓰기 0.01 읽기 영 점 영일

• 1.75 알아보기

$1\frac{75}{100}=1.75$ ➡ 1.75 읽기 일 점 칠오

└─ 일의 자리 숫자이고 1을 나타냅니다.
└─ 소수 첫째 자리 숫자이고 0.7을 나타냅니다.
└─ 소수 둘째 자리 숫자이고 0.05를 나타냅니다.

개념 2 소수 세 자리 수

• 0.001 알아보기

$$\frac{1}{1000}=0.001$$ ➡ 쓰기 0.001 읽기 영 점 영영일

• 3.164 알아보기

$3\frac{164}{1000}=3.164$ ➡ 3.164 읽기 삼 점 일육사

일의 자리		소수 첫째 자리	소수 둘째 자리	소수 셋째 자리
3	.			
0	.	1		
0	.	0	6	
0	.	0	0	4

3.164는 1이 3개, 0.1이 1개, 0.01이 6개, 0.001이 4개인 수입니다.

1-1 모눈종이 전체의 크기를 1이라고 할 때 색칠한 부분의 크기를 소수로 나타내어 보세요.

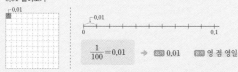

(**0.42**)

✿ 색칠한 부분은 전체 100칸 중에서 42칸이므로 $\frac{42}{100}=0.42$입니다.

1-2 ☐ 안에 알맞은 수나 말을 써넣으세요.

(1) 분수 $\frac{69}{100}$를 소수로 나타내면 $\boxed{0.69}$이고 $\boxed{\textbf{영 점 육구}}$(이)라고 읽습니다.

(2) 분수 $\frac{137}{100}$을 소수로 나타내면 $\boxed{1.37}$이고 $\boxed{\textbf{일 점 삼칠}}$(이)라고 읽습니다.

✿ 소수를 읽을 때에는 소수점 오른쪽 부분의 자릿값은 읽지 않고 숫자만 차례로 읽습니다.

2-1 분수를 소수로 나타내어 보세요.

(1) $\frac{5}{1000}$ ➡ (**0.005**) (2) $\frac{517}{1000}$ ➡ (**0.517**)

(3) $\frac{39}{1000}$ ➡ (**0.039**) (4) $\frac{1184}{1000}$ ➡ (**1.184**)

✿ (1) $\frac{5}{1000}$는 $\frac{1}{1000}(=0.001)$이 5개이므로 0.005입니다.

2-2 소수를 보고 빈칸에 알맞은 수를 써넣으세요.

7.562

일의 자리		소수 첫째 자리	소수 둘째 자리	소수 셋째 자리
7	.	5	6	2

✿ 7.562
└─ 일의 자리 숫자
└─ 소수 첫째 자리 숫자
└─ 소수 둘째 자리 숫자
└─ 소수 셋째 자리 숫자

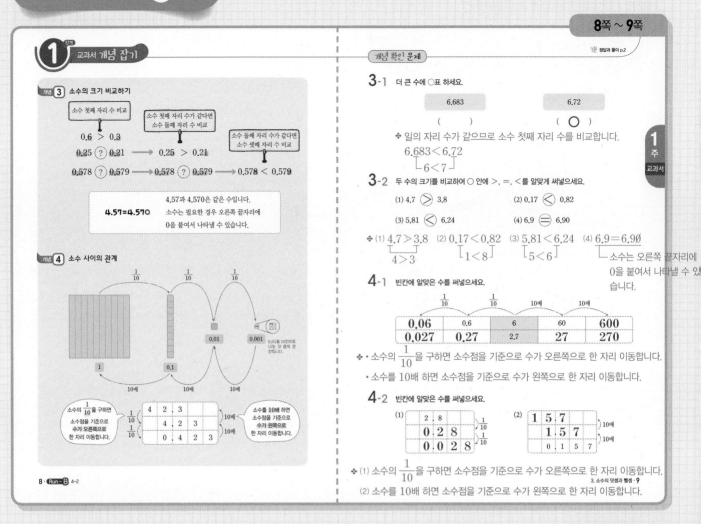

3. 소수의 덧셈과 뺄셈 · 9

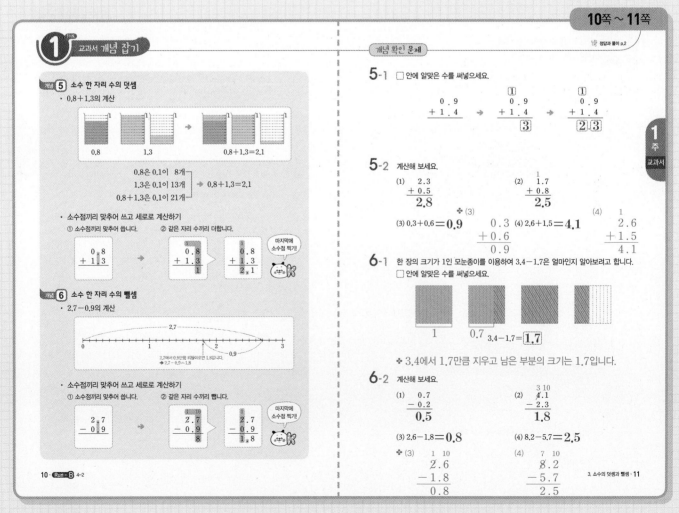

3. 소수의 덧셈과 뺄셈 · 11

① 교과서 개념 잡기

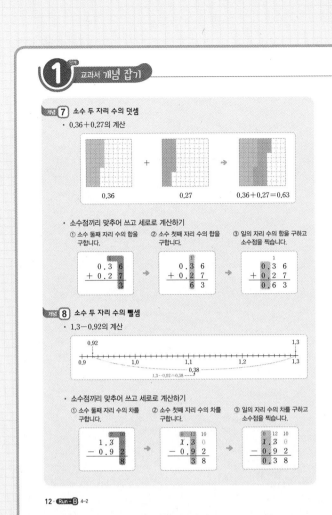

개념 7 소수 두 자리 수의 덧셈

· 0.36+0.27의 계산

0.36 + 0.27 → 0.36+0.27=0.63

· 소수점끼리 맞추어 쓰고 세로로 계산하기

① 소수 둘째 자리 수의 합을 구합니다.
② 소수 첫째 자리 수의 합을 구합니다.
③ 일의 자리 수의 합을 구하고 소수점을 찍습니다.

개념 8 소수 두 자리 수의 뺄셈

· 1.3-0.92의 계산

· 소수점끼리 맞추어 쓰고 세로로 계산하기

① 소수 둘째 자리 수의 차를 구합니다.
② 소수 첫째 자리 수의 차를 구합니다.
③ 일의 자리 수의 차를 구하고 소수점을 찍습니다.

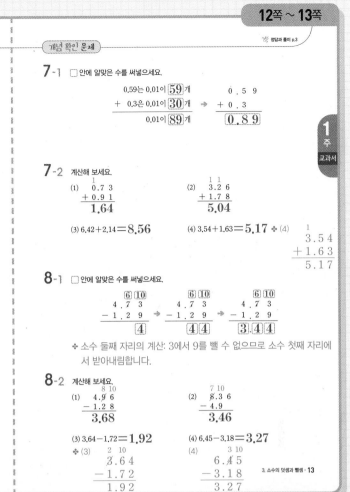

7-1 □ 안에 알맞은 수를 써넣으세요.

0.59는 0.01이 [59]개
+ 0.3은 0.01이 [30]개 → + 0.3
0.01이 [89]개

0.59
+ 0.3
[0.89]

7-2 계산해 보세요.

(1)
$$\begin{array}{r} 1 \\ 0.73 \\ +\ 0.91 \\ \hline 1.64 \end{array}$$

(2)
$$\begin{array}{r} 1\ 1 \\ 3.26 \\ +\ 1.78 \\ \hline 5.04 \end{array}$$

(3) 6.42+2.14=**8.56**

(4) 3.54+1.63=**5.17** ❖ (4)
$$\begin{array}{r} 1 \\ 3.54 \\ +\ 1.63 \\ \hline 5.17 \end{array}$$

8-1 □ 안에 알맞은 수를 써넣으세요.

$$\begin{array}{r} {}^{6}\!\!\!/\,{}^{10} \\ 4.73 \\ -\ 1.29 \\ \hline [4] \end{array}$$ → $$\begin{array}{r} {}^{6}\!\!\!/\,{}^{10} \\ 4.73 \\ -\ 1.29 \\ \hline [44] \end{array}$$ → $$\begin{array}{r} {}^{6}\!\!\!/\,{}^{10} \\ 4.73 \\ -\ 1.29 \\ \hline [3.44] \end{array}$$

❖ 소수 둘째 자리의 계산: 3에서 9를 뺄 수 없으므로 소수 첫째 자리에서 받아내림합니다.

8-2 계산해 보세요.

(1)
$$\begin{array}{r} {}^{8}\ {}^{10} \\ 4.9\!\!\!/6 \\ -\ 1.28 \\ \hline 3.68 \end{array}$$

(2)
$$\begin{array}{r} {}^{7}\ {}^{10} \\ 8.3\!\!\!/6 \\ -\ 4.9 \\ \hline 3.46 \end{array}$$

(3) 3.64-1.72=**1.92**

(4) 6.45-3.18=**3.27**

❖ (3)
$$\begin{array}{r} 2\ \ 10 \\ 3.6\!\!\!/4 \\ -\ 1.72 \\ \hline 1.92 \end{array}$$

(4)
$$\begin{array}{r} 3\ 10 \\ 6.4\!\!\!/5 \\ -\ 3.18 \\ \hline 3.27 \end{array}$$

PLAY 교과서 개념 스토리　알맞은 화분 고르기

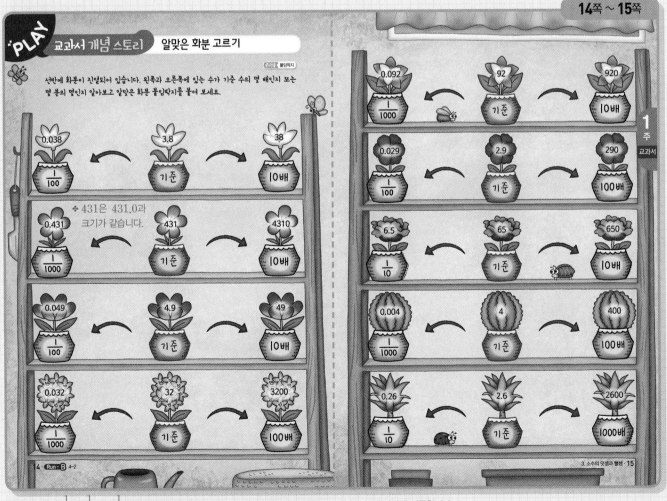

🐝 선반에 화분이 진열되어 있습니다. 왼쪽과 오른쪽에 있는 수가 기준 수의 몇 배인지 또는 몇 분의 몇인지 알아보고 알맞은 화분 붙임딱지를 붙여 보세요.

❖ 431은 431.0과 크기가 같습니다.

❖ 소수의 $\frac{1}{10}$, $\frac{1}{100}$, $\frac{1}{1000}$을 구하면 소수점을 기준으로 수가 오른쪽으로 한 자리, 두 자리, 세 자리씩 이동합니다.
소수를 10배, 100배, 1000배 하면 소수점을 기준으로 수가 왼쪽으로 한 자리, 두 자리, 세 자리씩 이동합니다.

PLAY 교과서 개념 스토리 탕후루 만들기

맛있는 탕후루를 만들고 있습니다. 과일 붙임딱지를 붙여 여러 가지 탕후루를 완성해 보세요.

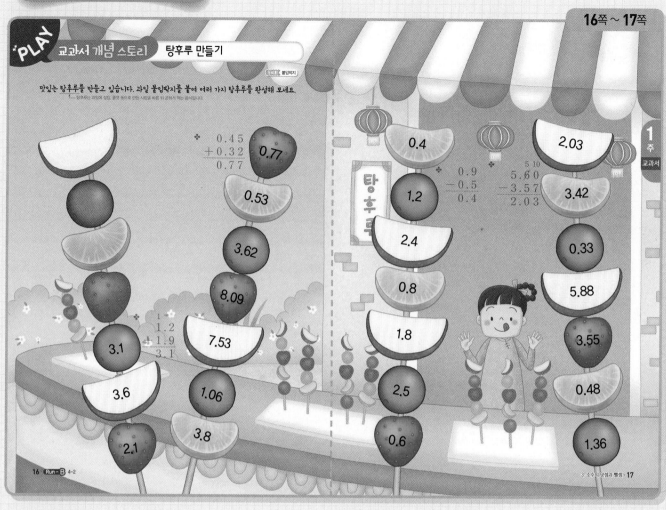

② 단계 교과서 **개념 다지기**

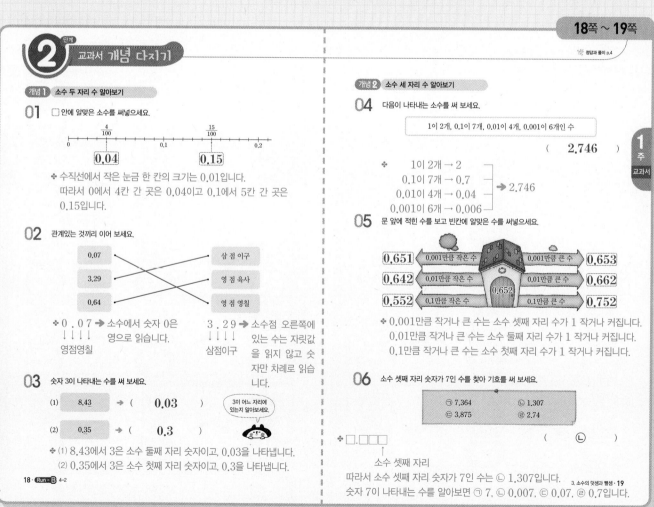

개념1 소수 두 자리 수 알아보기

01 □ 안에 알맞은 소수를 써넣으세요.

$\boxed{0.04}$ $\boxed{0.15}$

❖ 수직선에서 작은 눈금 한 칸의 크기는 0.01입니다.
따라서 0에서 4칸 간 곳은 0.04이고 0.1에서 5칸 간 곳은 0.15입니다.

02 관계있는 것끼리 이어 보세요.

0.07		삼 점 이구
3.29		영 점 육사
0.64		영 점 영칠

❖ 0.07 ➔ 소수에서 숫자 0은 영으로 읽습니다.
영점영칠

3.29 ➔ 소수점 오른쪽에 있는 수는 자릿값을 읽지 않고 숫자만 차례로 읽습니다.
삼점이구

03 숫자 3이 나타내는 수를 써 보세요.

(1) 8.43 ➔ (0.03)

(2) 0.35 ➔ (0.3)

3이 어느 자리에 있는지 알아보세요.

❖ (1) 8.43에서 3은 소수 둘째 자리 숫자이고, 0.03을 나타냅니다.
(2) 0.35에서 3은 소수 첫째 자리 숫자이고, 0.3을 나타냅니다.

개념2 소수 세 자리 수 알아보기

04 다음이 나타내는 소수를 써 보세요.

1이 2개, 0.1이 7개, 0.01이 4개, 0.001이 6개인 수

(2.746)

❖ 1이 2개 → 2
0.1이 7개 → 0.7
0.01이 4개 → 0.04
0.001이 6개 → 0.006
→ 2.746

05 문 앞에 적힌 수를 보고 빈칸에 알맞은 수를 써넣으세요.

0.651	0.001만큼 작은 수	0.001만큼 큰 수	0.653
0.642	0.01만큼 작은 수	0.01만큼 큰 수	0.662
0.552	0.1만큼 작은 수	0.652	0.1만큼 큰 수	0.752

❖ 0.001만큼 작거나 큰 수는 소수 셋째 자리 수가 1 작거나 커집니다.
0.01만큼 작거나 큰 수는 소수 둘째 자리 수가 1 작거나 커집니다.
0.1만큼 작거나 큰 수는 소수 첫째 자리 수가 1 작거나 커집니다.

06 소수 셋째 자리 숫자가 7인 수를 찾아 기호를 써 보세요.

| ㉠ 7.364 | ㉡ 1.307 |
| ㉢ 3.875 | ㉣ 2.74 |

(㉡)

❖ □.□□□
↑
소수 셋째 자리

따라서 소수 셋째 자리 숫자가 7인 수는 ㉡ 1.307입니다.
숫자 7이 나타내는 수를 알아보면 ㉠ 7, ㉡ 0.007, ㉢ 0.07, ㉣ 0.7입니다.

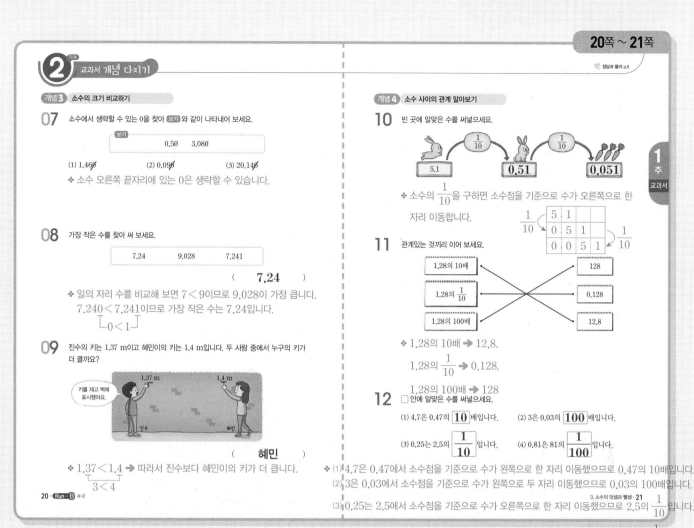

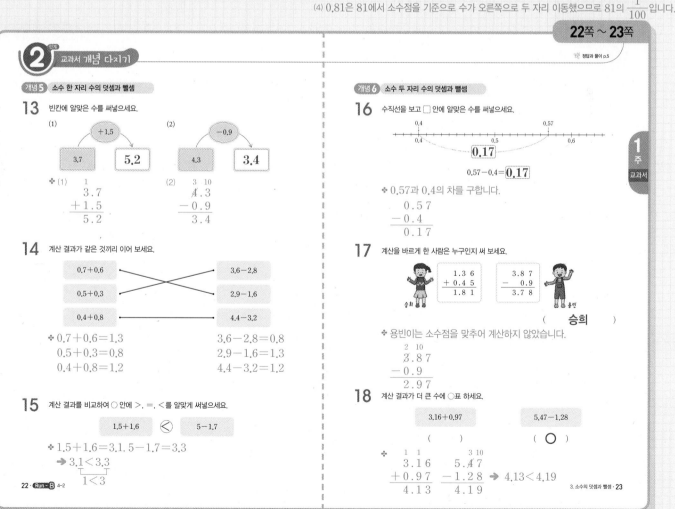

3 단계 교과서 실력 다지기

🌟 정답과 풀이 p.6

★ 나타내는 수의 관계 알아보기

1 소수에서 ㉠이 나타내는 수는 ㉡이 나타내는 수의 몇 배인지 구해 보세요.

$$7.27$$
㉠ ㉡

답 **100배**

> 개념 키드백
> • 소수에서 나타내는 수 구하기
> 소수 첫째 자리 소수 둘째 자리
> 0.33
> 0.3을 나타냅니다. 0.03을 나타냅니다.
> • 소수 사이의 관계
> 0.3
> 1/10 ⟋ 0.03 ⟍ 10배

✦ 나타내는 수를 알아보면 ㉠ 7, ㉡ 0.07입니다.
7은 0.07의 100배이므로 ㉠은 ㉡의 100배입니다.

1-1 소수에서 ㉠이 나타내는 수는 ㉡이 나타내는 수의 몇 배일까요?

$$1.565$$
㉠ ㉡

(**100배**)

✦ 나타내는 수를 알아보면 ㉠ 0.5, ㉡ 0.005입니다.
0.5는 0.005의 100배이므로 ㉠은 ㉡의 100배입니다.

1-2 소수에서 ㉠이 나타내는 수는 ㉡이 나타내는 수의 몇 배일까요?

$$3.263$$
㉠ ㉡

(**1000배**)

✦ 나타내는 수를 알아보면 ㉠ 3, ㉡ 0.003입니다.
3은 0.003의 1000배이므로 ㉠은 ㉡의 1000배입니다.

24 · Run - B 4-2

★ 카드로 만든 소수의 합과 차 구하기

2 카드를 한 번씩 모두 사용하여 소수 두 자리 수를 만들려고 합니다. 만들 수 있는 가장 큰 수와 가장 작은 수의 합을 구해 보세요.

| 2 | 5 | 7 | . |

답 **10.09**

> 개념 키드백
> • 3개의 수로 가장 큰 소수 두 자리 수 만들기
> □□.□□
> 가장 큰 수를 소수점 가장 작은 수를
> 놓습니다. 놓습니다.
> • 3개의 수로 가장 작은 소수 두 자리 수 만들기
> □□.□□
> 가장 작은 수를 소수점 가장 큰 수를
> 놓습니다. 놓습니다.

✦ 만들 수 있는 가장 큰 소수 두 자리 수: 7.52
만들 수 있는 가장 작은 소수 두 자리 수: 2.57
➡ 7.52 + 2.57 = 10.09

2-1 카드를 한 번씩 모두 사용하여 소수 두 자리 수를 만들려고 합니다. 만들 수 있는 가장 큰 수와 가장 작은 수의 차를 구해 보세요.

| 1 | 4 | 9 | . |

(**7.92**)

✦ 만들 수 있는 가장 큰 소수 두 자리 수: 9.41
만들 수 있는 가장 작은 소수 두 자리 수: 1.49
➡ 9.41 - 1.49 = 7.92

2-2 카드를 한 번씩 모두 사용하여 소수 두 자리 수를 만들려고 합니다. 만들 수 있는 가장 큰 수와 가장 작은 수의 합과 차를 각각 구해 보세요.

| 2 | 3 | 4 | . |

합 (**6.66**)
차 (**1.98**)

✦ 만들 수 있는 가장 큰 소수 두 자리 수: 4.32
만들 수 있는 가장 작은 소수 두 자리 수: 2.34
합: 4.32 + 2.34 = 6.66
차: 4.32 - 2.34 = 1.98

3. 소수의 덧셈과 뺄셈 · 25

---

3 단계 교과서 실력 다지기

🌟 정답과 풀이 p.6

★ 두 소수의 합과 차 구하기

3 ㉠과 ㉡의 합을 구해 보세요.

> ㉠ 0.1이 12개, 0.01이 37개인 수
> ㉡ 0.1이 26개, 0.001이 6개인 수

답 **4.176**

> 개념 키드백
> • 0.1이 3개인 수 → 0.3, 0.1이 25개인 수 → 2.5
> • 0.01이 3개인 수 → 0.03, 0.01이 25개인 수 → 0.25
> • 0.001이 3개인 수 → 0.003, 0.001이 25개인 수 → 0.025

✦ ㉠ 0.1이 12개이면 1.2, 0.01이 37개이면 0.37이므로 1.2 + 0.37 = 1.57입니다.
㉡ 0.1이 26개이면 2.6, 0.001이 6개이면 0.006이므로 2.6 + 0.006 = 2.606입니다.
➡ 1.57 + 2.606 = 4.176

3-1 ㉠과 ㉡의 차를 구해 보세요.

> ㉠ 3.76의 $\frac{1}{10}$
> ㉡ 0.149의 100배

(**14.524**)

✦ ㉠ 0.376 ㉡ 14.9
➡ 14.9 - 0.376 = 14.524

3-2 ㉠과 ㉡의 차를 구해 보세요.

> ㉠ 0.675의 10배
> ㉡ 0.1이 37개, 0.01이 48개인 수

(**2.57**)

✦ ㉠ 6.75
㉡ 0.1이 37개이면 3.7, 0.01이 48개이면 0.48이므로
3.7 + 0.48 = 4.18입니다.

26 · Run - B 4-2

➡ 6.75 - 4.18 = 2.57

★ □ 안에 들어갈 수 있는 수 구하기

4 0부터 9까지의 수 중에서 □ 안에 들어갈 수 있는 수는 모두 몇 개인지 구해 보세요.

> 0.72 > 0.□4

답 **7개**

> 개념 키드백
> ① 자연수 부분이 같으면 소수 첫째 자리 수를 비교합니다.
> ② 소수 첫째 자리 수까지 같으면 소수 둘째 자리 수를 비교합니다.
> ③ □ 안에 수를 넣어 보면서 >, < 의 모양이 바뀌지 않는지 확인합니다.

✦ 소수 둘째 자리 수를 비교하면 2 < 4이므로 □는 7보다 작아야 합니다.
따라서 □ 안에 들어갈 수 있는 수는 0, 1, 2, 3, 4, 5, 6입니다. ➡ 7개

4-1 0부터 9까지의 수 중에서 □ 안에 들어갈 수 있는 수를 모두 구해 보세요.

> 5.1□8 < 5.134

(**0, 1, 2**)

✦ 소수 셋째 자리 수를 비교하면 8 > 4이므로 □는 3보다 작아야 합니다.
따라서 □ 안에 들어갈 수 있는 수는 0, 1, 2입니다.

4-2 0부터 9까지의 수 중에서 □ 안에 들어갈 수 있는 수를 모두 구해 보세요.

> 3.57 - 1.29 > 2.□5

(**0, 1, 2**)

✦ 3.57 - 1.29 = 2.28입니다.
2.28 > 2.□5에서 소수 둘째 자리 수를 비교하면 8 > 5이므로
□는 2와 같거나 2보다 작아야 하므로
□ 안에 들어갈 수 있는 수는 0, 1, 2입니다.

3. 소수의 덧셈과 뺄셈 · 27

 **교과서 실력 다지기**

★ 바르게 계산한 값 구하기

5 어떤 수에서 2.6을 빼야 할 것을 잘못하여 더했더니 7.38이 되었습니다. 바르게 계산한 값을 구해 보세요.

 먼저 어떤 수를 구한 다음 바르게 계산한 값을 구해요.

답 ___2.18___

 개념 피드백
① 어떤 수를 □로 놓고 잘못 계산한 식을 세웁니다.
② □에 알맞은 수를 구합니다.
③ 바르게 계산한 식을 세우고 답을 구합니다.

❖ 어떤 수를 □라 하면 잘못 계산한 식은
□+2.6=7.38이므로 □=7.38-2.6=4.78입니다.
따라서 바르게 계산한 값은 4.78-2.6=2.18입니다.

5-1 6.9에서 어떤 수를 빼야 할 것을 잘못하여 더했더니 8.2가 되었습니다. 바르게 계산한 값을 구해 보세요.

(___5.6___)

❖ 어떤 수를 □라 하면 잘못 계산한 식은
6.9+□=8.2이므로 □=8.2-6.9=1.3입니다.
따라서 바르게 계산한 값은 6.9-1.3=5.6입니다.

5-2 어떤 수에 3.17을 더해야 할 것을 잘못하여 뺐더니 5.34가 되었습니다. 바르게 계산한 값을 구해 보세요.

(___11.68___)

❖ 어떤 수를 □라 하면 잘못 계산한 식은
□-3.17=5.34이므로 □=5.34+3.17=8.51입니다.
따라서 바르게 계산한 값은 8.51+3.17=11.68입니다.

28 · Run-B 4-2

★ 덧셈식, 뺄셈식 완성하기

6 □ 안에 알맞은 수를 써넣으세요.

$$\begin{array}{r} \textcircled{L}\,3\,.\,6\,\boxed{4}\\ +\,\boxed{2}\,.\,5\,8\\ \hline 6\,.\boxed{2}\,2 \end{array}$$

❖ ㉠+8=12 ➡ ㉠=4
1+6+5=12 ➡ ㉢=2
1+3+㉡=6 ➡ ㉡=2

개념 피드백
• 소수의 덧셈과 뺄셈은 같은 자리의 수끼리 계산합니다.
• 필요할 경우에는 소수의 오른쪽 끝자리에 0을 붙여서 나타낼 수 있습니다. (예 0.3=0.30)

❖ (1) 1+㉠+7은 3이 될 수 없으므로 1+㉠+7=13입니다. ➡ ㉠=5
1+4+㉡=9 ➡ ㉡=4

6-1 □ 안에 알맞은 수를 써넣으세요.

(1)
$$\begin{array}{r} \overset{1}{㉡}\,4\,.\boxed{5}\,7\\ +\,\boxed{4}\,.\,7\,9\\ \hline 9\,.\,3\,\boxed{6} \end{array}$$

(2)
$$\begin{array}{r} \overset{6\ \ 10\ 10}{7\,.\,㉠\,\boxed{4}}\\ -\,\boxed{2}\,.\,3\,5\\ \hline 4\,.\boxed{7}\,9 \end{array}$$

(2) ㉠-5=9에서 ㉠은 한 자리 수가 될 수 없으므로 소수 둘째 자리에서 소수 셋째 자리로 받아내림이 있습니다.
➡ 10+㉠-5=9이므로 10+㉠=14, ㉠=4입니다.
0에서 3을 뺄 수 없으므로 일의 자리에서 소수 첫째 자리로 받아내림이 있습니다.
➡ 10-3=7 ㉢=7, 6-㉡=4 ➡ ㉡=2

6-2 □ 안에 알맞은 수를 써넣으세요.

$$\begin{array}{r} \boxed{5}\,.\,3\,㉢\\ -\,2\,.\boxed{5}\,6\\ \hline 2\,.\,7\,\boxed{4}\,㉢ \end{array}$$

❖ 소수 첫째 자리에서 소수 둘째 자리로 받아내림합니다.
10-6=4 ➡ ㉢=4
2-㉡=7이 될 수 없으므로 일의 자리에서 소수 첫째 자리로 받아내림이 있습니다. ➡ 10+2-㉡=7 ➡ ㉡=5
㉠-1-2=2 ➡ ㉠=5

3. 소수의 덧셈과 뺄셈 · 29

Test **교과서 서술형 연습**

1 영지는 동생과 과수원에서 귤을 땄습니다. 영지는 귤을 3.56 kg 땄고 동생은 1.35 kg 더 적게 땄습니다. 두 사람이 딴 귤은 모두 몇 kg인지 구해 보세요.

3.56 kg   3.56 kg보다 1.35 kg 더 적음.

✍ 구하려는 것, 주어진 것에 선을 그어 봅니다.

해결하기 동생이 딴 귤의 무게는 3.56-1.35=2.21(kg)입니다.
따라서 두 사람이 딴 귤이 모두 몇 kg인지 알아보면
3.56+2.21=5.77(kg)입니다.

답 구하기 5.77 kg

2 혜미는 친구와 밭에서 토마토를 땄습니다. 혜미는 토마토를 2.17 kg 땄고 친구는 혜미보다 1.38 kg 더 많이 땄습니다. 두 사람이 딴 토마토는 몇 kg인지 구해 보세요.
주어진 것   구하려는 것

✍ 구하려는 것, 주어진 것에 선을 그어 봅니다.

해결하기 예 친구가 딴 토마토의 무게는
2.17+1.38=3.55 (kg)입니다.
따라서 두 사람이 딴 토마토의 무게는
2.17+3.55=5.72 (kg)입니다.

답 구하기 5.72 kg

30 · Run-B 4-2

3 리본이 0.37 m 있습니다. 이 중에서 19 cm를 상자를 포장하는 데 사용했다면 남은 리본은 몇 m인지 구해 보세요.

✍ 구하려는 것, 주어진 것에 선을 그어 봅니다.

해결하기 19 cm를 m 단위로 바꾸면 0.19 m입니다.
상자를 포장하고 남은 리본의 길이를 구하면
0.37-0.19=0.18 (m)입니다.

답 구하기 0.18 m

4 철사가 9.3 cm 있습니다. 이 중에서 45 mm를 미술 시간에 사용했습니다. 남은 철사는 몇 cm인지 구해 보세요.   주어진 것

구하려는 것

✍ 구하려는 것, 주어진 것에 선을 그어 봅니다.

해결하기 예 45 mm=4.5 cm입니다.
사용하고 남은 철사의 길이는
9.3-4.5=4.8 (cm)입니다.

답 구하기 4.8 cm

3. 소수의 덧셈과 뺄셈 · 31

PLAY 사고력 개념 스토리 곶감 만들기

곶감을 만들기 위해 감을 엮어 매달았습니다. ➕, ➖, ➡를 살펴보고 빈 곳에 알맞은 곶감 붙임딱지를 붙여 보세요.

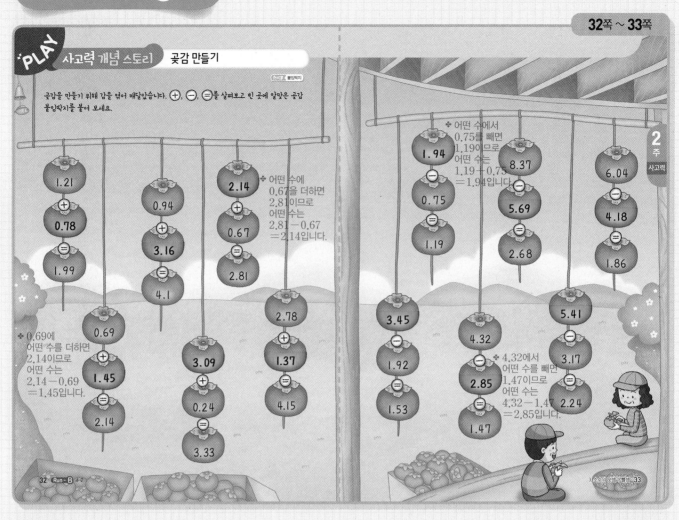

✤ 어떤 수에 0.67을 더하면 2.81이므로 어떤 수는 2.81 − 0.67 = 2.14입니다.

✤ 0.69에 어떤 수를 더하면 2.14이므로 어떤 수는 2.14 − 0.69 = 1.45입니다.

✤ 어떤 수에서 0.75를 빼면 1.19이므로 어떤 수는 1.19 + 0.75 = 1.94입니다.

✤ 4.32에서 어떤 수를 빼면 1.47이므로 어떤 수는 4.32 − 1.47 = 2.85입니다.

PLAY 사고력 개념 스토리 규칙에 맞는 포도알 찾기

규칙에 알맞게 포도알 붙임딱지를 붙여 보세요.

규칙 두 포도알에 쓰인 수의 합이 바로 아래에 붙어 있는 포도알의 수가 되도록 붙입니다.

규칙 두 포도알에 쓰인 수의 차가 바로 아래에 붙어 있는 포도알의 수가 되도록 붙입니다.

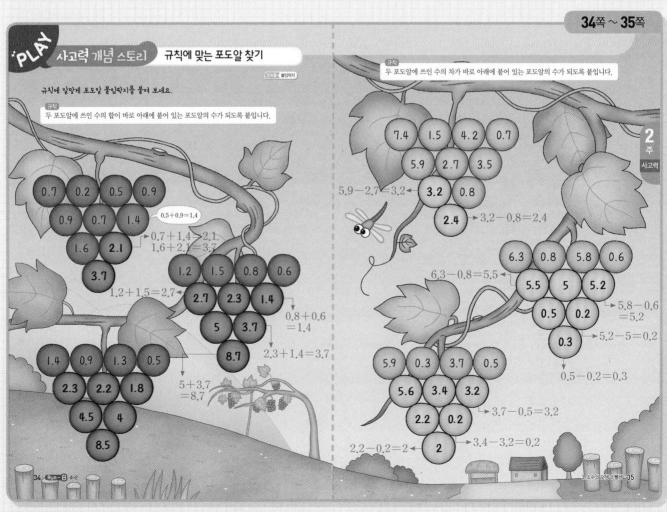

$0.5 + 0.9 = 1.4$

$0.7 + 1.4 = 2.1,$
$1.6 + 2.1 = 3.7$

$1.2 + 1.5 = 2.7$

$0.8 + 0.6 = 1.4$

$2.3 + 1.4 = 3.7$

$5 + 3.7 = 8.7$

$5.9 − 2.7 = 3.2$

$3.2 − 0.8 = 2.4$

$6.3 − 0.8 = 5.5$

$5.8 − 0.6 = 5.2$

$5.2 − 5 = 0.2$

$0.5 − 0.2 = 0.3$

$3.7 − 0.5 = 3.2$

$3.4 − 3.2 = 0.2$

$2.2 − 0.2 = 2$

1단계 교과 사고력 잡기

정답과 풀이 p.9

1 수족관에 있는 물고기 중에서 가장 무거운 물고기와 가장 가벼운 물고기의 무게의 차를 구해 보세요.

❶ 무게가 가장 무거운 물고기는 몇 kg일까요?

(**0.32 kg**)

✤ 0.32>0.29>0.26>0.17>0.15이므로
가장 무거운 물고기의 무게는 0.32 kg입니다.

❷ 무게가 가장 가벼운 물고기는 몇 kg일까요?

(**0.15 kg**)

✤ 0.32>0.29>0.26>0.17>0.15이므로
가장 가벼운 물고기의 무게는 0.15 kg입니다.

❸ 가장 무거운 물고기와 가장 가벼운 물고기의 무게의 차를 구해 보세요.

(**0.17 kg**)

✤ 0.32−0.15=0.17 (kg)

36 · Run - B 4-2

---

2 쌀 20 kg 중 오늘 하루 동안 먹고 남은 쌀은 몇 kg인지 구해 보세요.

❶ 아침, 점심, 저녁에 사용한 쌀의 양을 각각 kg 단위로 바꾸어 보세요.

670 g= **0.67** kg, 590 g= **0.59** kg, 710 g= **0.71** kg

❷ 아침, 점심, 저녁에 먹은 쌀은 모두 몇 kg일까요?

(**1.97 kg**)

✤ 0.67+0.59+0.71=1.97 (kg)

❸ 오늘 하루 동안 먹고 남은 쌀은 몇 kg일까요?

(**18.03 kg**)

✤
```
   1 9  9 10
  2 0 . 0 0
 −   1 . 9 7
  1 8 . 0 3
```

3. 소수의 덧셈과 뺄셈 · 37

1단계 교과 사고력 잡기

정답과 풀이 p.9

3 수찬이는 끈을 5 m 가지고 있습니다. 그중에서 2.35 m로는 상자를 포장하고 0.79 m로는 리본을 만들었습니다. 사용하고 남은 끈은 몇 m인지 구해 보세요.

❶ 수찬이가 상자를 포장하고 리본을 만드는 데 사용한 끈은 모두 몇 m일까요?

(**3.14 m**)

✤ 2.35+0.79=3.14 (m)

❷ 수찬이가 사용하고 남은 끈은 몇 m일까요?

(**1.86 m**)

✤ 5−3.14=1.86 (m)

❸ 민서는 끈을 2 m 가지고 있습니다. 그중에서 1.27 m로는 상자를 포장하고
0.3 m로는 리본을 만들었습니다. 사용하고 남은 끈은 몇 m일까요?

(**0.43 m**)

✤ 상자를 포장하고 리본을 만드는 데 사용한 끈의 길이는
1.27+0.3=1.57 (m)입니다.
남은 끈의 길이는 2−1.57=0.43 (m)입니다.

38 · Run - B 4-2

---

4 정삼각형의 세 변의 길이의 합과 정사각형의 네 변의 길이의 합의 차는 몇 cm인지 구해 보세요.

3.19 cm

2.23 cm

❶ 정삼각형의 세 변의 길이의 합은 몇 cm인지 구해 보세요.

(**9.57 cm**)

✤ 정삼각형은 세 변의 길이가 같습니다.
3.19+3.19+3.19=9.57 (cm)

❷ 정사각형의 네 변의 길이의 합은 몇 cm인지 구해 보세요.

(**8.92 cm**)

✤ 정사각형은 네 변의 길이가 같습니다.
2.23+2.23+2.23+2.23=8.92 (cm)

❸ 정삼각형의 세 변의 길이의 합과 정사각형의 네 변의 길이의 합의 차는 몇
cm인지 구해 보세요.

(**0.65 cm**)

✤ 9.57−8.92=0.65 (cm)

3. 소수의 덧셈과 뺄셈 · 39

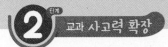

② 단계 교과 사고력 확장

1 어떤 소수 세 자리 수를 읽는 방법에 대해 쓴 종이에 잉크가 묻어 글자 3개가 보이지 않습니다. 아래 힌트를 읽고 소수를 구해 보세요.

이 소수는 ● 점 ●● 라고 읽습니다.

- 이 소수는 3보다 크고 4보다 작습니다.
- 이 소수의 소수 첫째 자리 숫자는 2입니다.
- 이 소수의 소수 둘째 자리 숫자는 7입니다.

❶ 소수의 자연수 부분은 얼마일까요?

(**3**)

✧ 3보다 크고 4보다 작은 소수 세 자리 수는 3.□□□이므로 소수의 자연수 부분은 3입니다.

❷ 소수 셋째 자리 숫자는 얼마일까요?

(**4**)

✧ ● 점 ●●사라고 읽으므로 소수 셋째 자리 숫자는 4입니다.

❸ 조건을 모두 만족하는 소수 세 자리 수를 구해 보세요.

(**3.274**)

✧ 자연수 : 3
소수 첫째 자리 숫자: 2 ─┐
소수 둘째 자리 숫자: 7 ─┼→ 3.274
소수 셋째 자리 숫자: 4 ─┘

2 색 테이프 3장을 겹쳐서 다음과 같이 길게 이어 붙였습니다. 이어 붙인 색 테이프의 전체 길이는 몇 m인지 구해 보세요.

❶ 색 테이프 3장의 길이의 합은 몇 m일까요?

(**9.08 m**)

✧ $3.79 + 2.84 + 2.45 = 6.63 + 2.45 = 9.08$ (m)

❷ 겹쳐진 두 부분의 길이의 합은 몇 m인지 구해 보세요.

(**0.72 m**)

✧ $0.36 + 0.36 = 0.72$ (m)

❸ 이어 붙여서 만든 색 테이프의 전체 길이는 몇 m인지 구해 보세요.

(**8.36 m**)

✧ $9.08 - 0.72 = 8.36$ (m)

② 단계 교과 사고력 확장

3 병원에서 서점까지의 거리는 몇 km인지 구해 보세요.

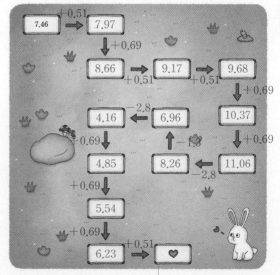

❶ 수영장에서 학교까지의 거리는 몇 km일까요?

(**9.12 km**)

✧ $7.34 + 1.78 = 9.12$ (km)

❷ 수영장에서 병원까지의 거리와 서점에서 학교까지의 거리의 합은 몇 km인지 구해 보세요.

(**6.85 km**)

✧ $4.2 + 2.65 = 6.85$ (km)

❸ 병원에서 서점까지의 거리는 몇 km일까요?

(**2.27 km**)

✧ $9.12 - 6.85 = 2.27$ (km)

4 규칙에 따라 화살표 방향으로 계산하여 ♥에 알맞은 값은 얼마인지 구해 보세요.

규칙
→ : 0.51을 더합니다.   ← : 2.8을 뺍니다.
↓ : 0.69를 더합니다.   ↑ : 1.3을 뺍니다.

```
 7.46  →+0.51→  7.97
                  ↓+0.69
         8.66 →+0.51→ 9.17 →+0.51→ 9.68
                                     ↓+0.69
         4.16 ←−2.8─ 6.96        10.37
          ↓                         ↓+0.69
        −0.69
         4.85      8.26 ←−2.8─ 11.06
          ↓+0.69    ↑−1.3
         5.54
          ↓+0.69
         6.23 →+0.51→ ♥
```

(**6.74**)

└ $6.23 + 0.51 = 6.74$

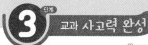

3 단계 교과 사고력 완성

평가 영역 □개념 이해력 ☑개념 응용력 □창의력 □문제 해결력

1 다음 카드 중 4장을 골라 한 번씩만 사용하여 소수 두 자리 수를 만들려고 합니다. 만들 수 있는 가장 큰 수와 가장 작은 수의 합을 구해 보세요.

❶ 만들 수 있는 가장 큰 수를 구해 보세요.
✧ 소수 두 자리 수이므로 소수점의 위치는
□□.□□입니다.   (**8.75**)
큰 수부터 차례로 쓰면 8, 7, 5, 3, 1이므로 가장 큰 소수 두 자리 수는 8.75입니다.

❷ 만들 수 있는 가장 작은 수를 구해 보세요.
(**1.35**)
✧ 작은 수부터 차례로 쓰면 1, 3, 5, 7, 8이므로 가장 작은 소수 두 자리 수는 1.35입니다.

❸ 가장 큰 수와 가장 작은 수의 합을 구해 보세요.
(**10.1**)
✧ 8.75＋1.35＝10.1

2 다음 카드를 한 번씩 모두 사용하여 소수를 만들려고 합니다. 만들 수 있는 두 번째로 작은 소수 두 자리 수와 두 번째로 큰 소수 세 자리 수를 구하고 두 수의 합을 구해 보세요.

두 번째로 작은 소수 두 자리 수	두 번째로 큰 소수 세 자리 수
12.94	9.412

✧ 소수 두 자리 수는 □□.□□입니다. (**22.352**)
가장 작은 소수 두 자리 수: 12.49,
두 번째로 작은 소수 두 자리 수: 12.94
소수 세 자리 수는 □.□□□입니다.
가장 큰 소수 세 자리 수: 9.421,
두 번째로 큰 소수 세 자리 수: 9.412
➡ 12.94＋9.412＝22.352

평가 영역 □개념 이해력 □개념 응용력 ☑창의력 □문제 해결력

3 고속도로에는 기점 표지판이 있습니다. 기점 표지판은 고속도로가 시작되는 기점에서 현재 위치까지의 거리를 알려주는 표지판입니다. 다음은 기점 표지판 사이를 똑같이 10칸으로 나눈 것입니다. 채린이네 자동차와 광고판 사이의 거리는 몇 km인지 구해 보세요.

기점으로부터 24.8 km 부근

❶ 채린이네 자동차가 있는 곳의 위치는 기점으로부터 몇 km 떨어진 곳일까요?
✧ 기점 표지판은 0.2 km씩 떨어져 있고   (**12.32 km**)
기점 표지판 사이의 눈금은 10칸이므로
눈금 한 칸의 크기는 0.2 km의 $\frac{1}{10}$인 0.02 km입니다.
12.2 km에서 0.02 km씩 6칸 떨어진 곳은 12.32 km입니다.

❷ 광고판이 있는 곳의 위치는 기점으로부터 몇 km 떨어진 곳일까요?
(**12.84 km**)
✧ 12.8 km에서 0.02 km씩 2칸 떨어진 곳은 12.84 km입니다.

❸ 채린이네 자동차와 광고판 사이의 거리는 몇 km일까요?
(**0.52 km**)
✧ 12.84－12.32＝0.52 (km)

Test 종합평가   3. 소수의 덧셈과 뺄셈   맞은 개수

1 모눈종이 전체의 크기를 1이라고 할 때 색칠된 부분의 크기를 소수로 나타내고 소수를 읽어 보세요.

쓰기 (**0.37**)
읽기 (**영 점 삼칠**)

✧ 모눈 한 칸의 크기는 0.01이고 색칠된 부분은 37칸이므로 소수로 나타내면 0.37입니다.
➡ 영 점 삼칠

2 □안에 알맞은 수를 써넣으세요.
(1) 1.7의 $\frac{1}{10}$은 **0.17**이고, $\frac{1}{100}$은 **0.017**입니다.
(2) 0.248의 10배는 **2.48**이고, 1000배는 **248**입니다.

3 관계있는 것끼리 이어 보세요.

✧ 0.9＋0.3＝1.2   2.5－1.4＝1.1
0.5＋0.8＝1.3   4.3－3.1＝1.2
0.4＋0.7＝1.1   3.1－1.8＝1.3

4 빈칸에 알맞은 수를 써넣으세요.

+		
4.26	3.17	7.43
2.35	0.64	2.99
1.91	2.53	

✧ 4.26＋3.17＝7.43   2.35＋0.64＝2.99
4.26－2.35＝1.91   3.17－0.64＝2.53

5 계산이 잘못된 곳을 찾아 바르게 계산해 보세요.

✧ 소수점의 위치를 맞추어 계산합니다.

6 계산 결과를 비교하여 ○ 안에 >, =, <를 알맞게 써넣으세요.
0.82＋0.57 < 4.16－2.58
✧ 0.82＋0.57＝1.39, 4.16－2.58＝1.58
➡ 1.39＜1.58

7 □안에 알맞은 수를 써넣으세요.

✧ □＋2.8＝5.2
➡ □＝5.2－2.8＝2.4

Test 종합평가 3. 소수의 덧셈과 뺄셈 · 정답과 풀이 p.12

8 숫자 5가 나타내는 수가 가장 작은 것을 찾아 기호를 써 보세요.

> ㉠ 1.524 ㉡ 5.86
> ㉢ 4.165 ㉣ 0.35

(㉢)

✥ 숫자 5가 나타내는 수를 알아보면
㉠ 0.5 ㉡ 5 ㉢ 0.005 ㉣ 0.05입니다.

9 □ 안에 알맞은 수를 써넣으세요.

$$
\begin{array}{r}
0.74 \\
+\,0.29 \\
\hline
1.03
\end{array}
\rightarrow
\begin{array}{l}
0.01이 \boxed{74} 개 \\
+\,0.01이 \boxed{29} 개 \\
\hline
0.01이 \boxed{103} 개
\end{array}
$$

✥ 0.74＋0.29＝1.03이므로 0.01이 103개입니다.

10 빈칸에 알맞은 수를 써넣으세요.

1.59 →(+0.74)→(+3.48)→ 5.81

✥ 1.59＋0.74＝2.33 ➡ 2.33＋3.48＝5.81

11 소수에서 ㉠이 나타내는 값은 ㉡이 나타내는 값의 몇 배일까요?

8 . 2 5 2
　　㉠　㉡

(100배)

✥ ㉠ 0.2, ㉡ 0.002입니다. 0.2는 0.002의 100배이므로
㉠은 ㉡의 100배입니다.

12 두 무게의 합은 몇 kg일까요?

> 1.48 kg　690 g

(2.17 kg)

✥ 690 g＝0.69 kg ➡ 1.48＋0.69＝2.17 (kg)

13 가장 큰 수와 가장 작은 수의 합에서 나머지 수를 뺀 값을 구해 보세요.

> 5.78　2.09　3.25

(4.62)

✥ 5.78＞3.25＞2.09이므로 가장 큰 수는 5.78, 가장 작은
수는 2.09입니다.
➡ 5.78＋2.09＝7.87, 7.87－3.25＝4.62

14 8.09와 같은 수를 찾아 ○표 하세요.

> $\frac{89}{100}$　($8\frac{9}{100}$)　$8\frac{9}{10}$　8.9

✥ $\frac{89}{100}$＝0.89, $8\frac{9}{100}$＝8.09, $8\frac{9}{10}$＝8.9

15 길이가 3.6 m인 철사가 있습니다. 미술 시간에 철사 1.07 m를 사용했다면 남은 철사는 몇 m인지 구해 보세요.

(2.53 m)

✥ 3.6－1.07＝2.53 (m)

48 · Run - Ⓑ 4-2　　　　　3. 소수의 덧셈과 뺄셈 · 49

Test 종합평가 3. 소수의 덧셈과 뺄셈 · 정답과 풀이 p.12

16 조건을 만족하는 소수를 써 보세요.

> • 소수 두 자리 수입니다.
> • 5보다 크고 6보다 작습니다.
> • 소수 첫째 자리 숫자는 7입니다.
> • 소수 둘째 자리 숫자는 3입니다.

(5.73)

✥ 소수 두 자리 수 중에서 5보다 크고 6보다 작은 수는 5.□□
입니다. 소수 첫째 자리 숫자가 7이고, 소수 둘째 자리 숫자가
3이므로 조건을 모두 만족하는 소수는 5.73입니다.

17 어떤 수에서 3.79를 빼야 할 것을 잘못하여 더했더니 9.52가 되었습니다. 바르게 계산한 값을 구해 보세요.

(1.94)

✥ 어떤 수를 □라 하면 □＋3.79＝9.52이므로
□＝9.52－3.79＝5.73입니다.
따라서 바르게 계산한 값은 5.73－3.79＝1.94입니다.

18 □ 안에 알맞은 수를 써넣으세요.

$$
\begin{array}{r}
㉡\,4.\boxed{6}\,8 \\
+\,\boxed{4}.5\,\boxed{5}\,㉢ \\
\hline
9.2\,3
\end{array}
$$

✥ 8＋㉢은 3이 될 수 없으므로 13입니다.
➡ 8＋㉢＝13, ㉢＝13－8＝5
1＋㉠＋5는 2가 될 수 없으므로 12입니다.
➡ 1＋㉠＋5＝12, ㉠＋6＝12, ㉠＝12－6＝6
1＋4＋㉡＝9 ➡ 5＋㉡＝9, ㉡＝9－5＝4

50 · Run - Ⓑ 4-2

특강 창의·융합 사고력 · 정답과 풀이 p.12

1 다음은 가영이네 집의 구조를 보여주는 평면도입니다. 물음에 답하세요.

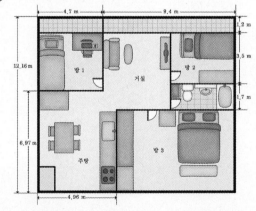

(1) 방 1의 세로는 몇 m일까요?

(3.99 m)

✥ 12.16－1.2－6.97＝10.96－6.97＝3.99 (m)

(2) 방 3의 가로는 몇 m일까요?

(9.14 m)

✥ 4.7＋9.4－4.96＝14.1－4.96＝9.14 (m)

(3) 방 3의 세로는 몇 m일까요?

(5.76 m)

✥ 12.16－1.2－3.5－1.7＝10.96－3.5－1.7
＝7.46－1.7
＝5.76 (m)

3. 소수의 덧셈과 뺄셈 · 51

4 사각형

수직과 평행을 이용한 무늬

고궁의 건축물, 계단, 그리고 조각보의 무늬에서 두 직선이 만나 직각을 이루는 부분과 아무리 늘여도 서로 만나지 않는 부분을 찾아볼까요?

🐦 고궁의 건축물
문에 있는 무늬에서 수직과 평행을 찾을 수 있습니다.

🐦 계단
계단에서 수직과 평행을 찾을 수 있습니다.

🐦 조각보
조각보는 쓰다 남은 색색의 천 조각을 이어 붙여서 만든 것으로 덮개, 받침, 장식 등에 사용합니다.

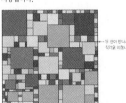

→ 두 선이 만나서 직각을 이룹니다.

🐦 삼각자에서 직각인 부분에 ◯표 하세요.

① 　②

🐦 각도기를 사용하여 선분 ㄱㄴ을 한 변으로 하고 크기가 90°인 각을 그려 보세요.

90°

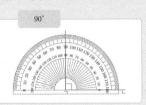

🐦 아무리 늘여도 서로 만나지 않는 두 직선을 찾아 기호를 써 보세요.

직선 **다** 와 직선 **라**

---

1 단계 교과서 개념 잡기

개념 확인 문제

🐦 정답과 풀이 p.13

개념 1 수직 알아보기
- 두 직선이 만나서 이루는 각이 직각일 때, 두 직선은 서로 수직이라고 합니다.
- 두 직선이 서로 수직으로 만나면 한 직선을 다른 직선에 대한 수선이라고 합니다.

- 수선 긋기
  방법1 삼각자의 직각인 부분을 이용하여 주어진 직선에 대한 수선 긋기

  방법2 각도기의 90°가 되는 눈금 위에 점을 찍어 주어진 직선에 대한 수선 긋기

개념 2 평행 알아보기
- 한 직선에 수직인 두 직선은 서로 만나지 않습니다. 이와 같이 서로 만나지 않는 두 직선을 평행하다고 합니다.
- 평행한 두 직선을 평행선이라고 합니다.

평행선

- 삼각자를 사용하여 평행선 긋기

두 삼각자를 그림과 같이 맞추어 한 직선을 긋습니다.

→

왼쪽 삼각자를 고정시키고 오른쪽 삼각자를 밑으로 내려 다른 직선을 긋습니다.

1-1 그림을 보고 물음에 답하세요.

(1) 직선 가에 수직인 직선을 찾아 써 보세요.

직선 (**다**)

(2) 직선 가에 대한 수선을 찾아 써 보세요.

직선 (**다**)

❖ (1) 직선 가와 만나서 이루는 각이 직각인 직선은 직선 다입니다.
　(2) 직선 가와 서로 수직으로 만나는 직선은 직선 다입니다.

1-2 각도기와 삼각자를 사용하여 주어진 직선에 대한 수선을 그어 보세요.

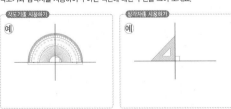

각도기를 사용하기 | 삼각자를 사용하기
예 | 예

2-1 그림을 보고 ☐ 안에 알맞은 말을 써넣으세요.

(1) 직선 가에 수직인 두 직선은 직선 **나** 와 직선 **라** 입니다.

(2) 직선 나와 직선 라는 서로 **평행** 합니다.

3 주 교과서

1단계 교과서 개념 잡기

개념 3 평행선 사이의 거리 알아보기

• 평행선 사이의 거리: 평행선의 한 직선에서 다른 직선에 그은 수선의 길이

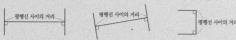

• 평행선 사이의 거리 재기
삼각자를 사용하여 평행선 사이에 수직인 선분을 긋고 그은 선분의 길이를 자로 잽니다.

참고 ① 평행선 사이에 그은 선분 중 수선의 길이가 가장 짧습니다.
② 평행선 사이의 거리는 어느 곳에서 재어도 모두 같습니다.

개념 4 사다리꼴 알아보기

• 사다리꼴: 평행한 변이 한 쌍이라도 있는 사각형

• 직사각형 모양의 종이띠를 잘라서 만든 도형

직사각형 모양의 종이띠를 위와 같은 선을 따라 잘랐을 때 잘라 낸 도형들은 위와 아래의 변이 서로 평행하기 때문에 모두 사다리꼴입니다.

개념 확인 문제

정답과 풀이 p.14

3-1 평행선 사이의 거리는 몇 cm일까요?

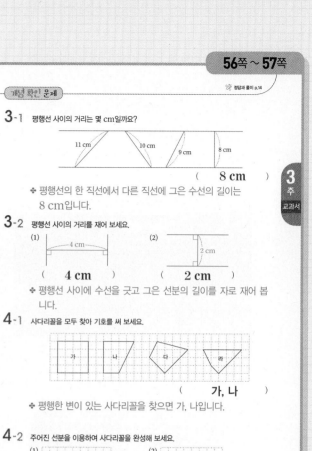

(**8 cm**)

❖ 평행선의 한 직선에서 다른 직선에 그은 수선의 길이는 8 cm입니다.

3-2 평행선 사이의 거리를 재어 보세요.

(1) (**4 cm**) (2) (**2 cm**)

❖ 평행선 사이에 수선을 긋고 그은 선분의 길이를 자로 재어 봅니다.

4-1 사다리꼴을 모두 찾아 기호를 써 보세요.

(**가, 나**)

❖ 평행한 변이 있는 사다리꼴을 찾으면 가, 나입니다.

4-2 주어진 선분을 이용하여 사다리꼴을 완성해 보세요.

(1) (예) (2) (예)

❖ 평행한 변이 있는 사다리꼴을 그립니다.

1단계 교과서 개념 잡기

개념 5 평행사변형 알아보기

• 평행사변형: 마주 보는 두 쌍의 변이 서로 평행한 사각형

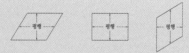

• 평행사변형의 성질

마주 보는 두 변의 길이가 같습니다.	마주 보는 두 각의 크기가 같습니다.	이웃한 두 각의 크기의 합이 180°입니다.
		➡ ● + ▲ = 180°

개념 6 마름모 알아보기

• 마름모: 네 변의 길이가 모두 같은 사각형

• 마름모의 성질

네 변의 길이가 모두 같습니다.	마주 보는 두 각의 크기가 같습니다.
이웃한 두 각의 크기의 합이 180°입니다.	마주 보는 꼭짓점끼리 이은 선분이 서로 수직으로 만나고 이등분합니다.

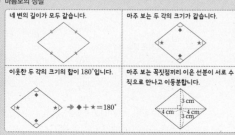

개념 확인 문제

정답과 풀이 p.14

5-1 평행사변형을 모두 찾아 기호를 써 보세요.

(**나, 다**)

❖ 마주 보는 두 쌍의 변이 서로 평행한 평행사변형을 찾으면 나, 다입니다.

5-2 평행사변형을 보고 □ 안에 알맞은 수를 써넣으세요.

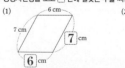

❖ (1) 평행사변형은 마주 보는 두 변의 길이가 같습니다.
(2) 평행사변형은 마주 보는 두 각의 크기가 같습니다.

6-1 마름모를 모두 찾아 기호를 써 보세요.

(**가, 다**)

❖ 네 변의 길이가 모두 같은 마름모를 찾으면 가, 다입니다.

6-2 마름모를 보고 □ 안에 알맞은 수를 써넣으세요.

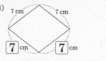

❖ (1) 마름모는 네 변의 길이가 모두 같습니다.
(2) 마름모는 마주 보는 두 각의 크기가 같습니다.

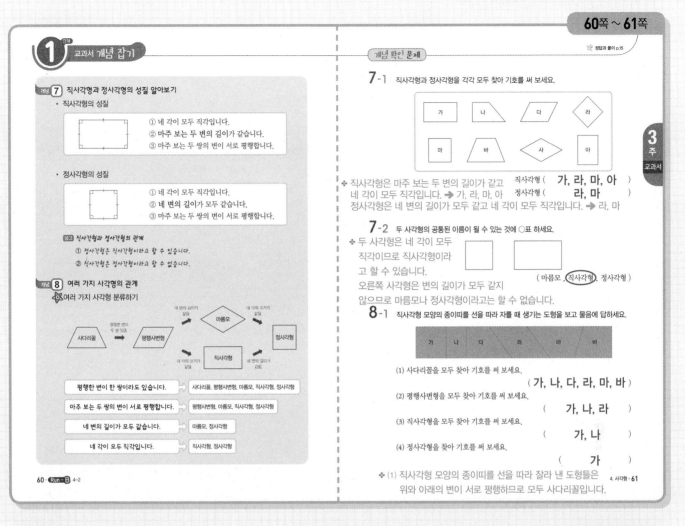

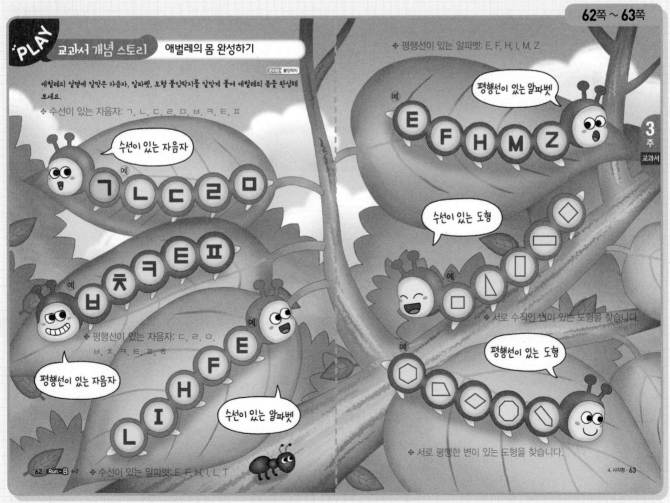

PLAY 교과서 개념 스토리 | 뽑기통에 캡슐 채우기

각 뽑기통에 알맞은 캡슐 붙임딱지를 모두 찾아 붙여 보세요.

문구   학용품

3
주
교과서

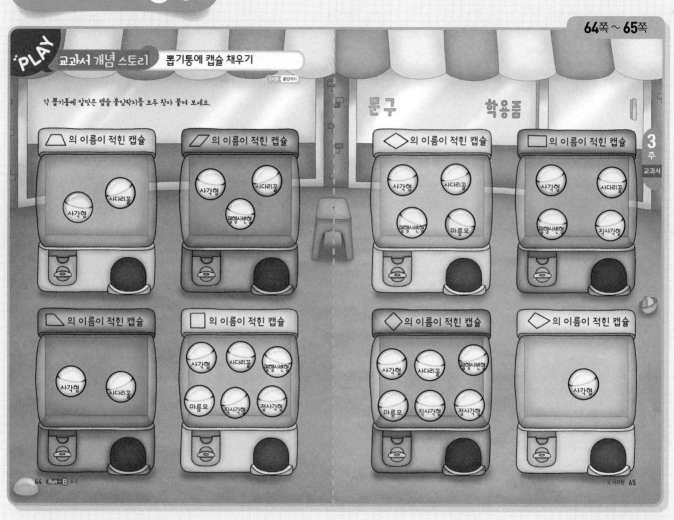

64 · Run - B 4-2

4. 사각형 · 65

2단계 교과서 개념 다지기

정답과 풀이 p.16

개념 1 | 수직 알아보기

01 변 ㄱㄴ에 수직인 변을 찾아 써 보세요.

(변 ㄱㄹ)

❖ 변 ㄱㄴ과 이루는 각이 직각인 변은 변 ㄱㄹ입니다.

02 각도기를 사용하여 점 ㄱ을 지나고 직선 가에 수직인 직선을 그리려고 합니다. 점 ㄱ과 직선으로 이어야 하는 점은 어느 것일까요? ....(③)

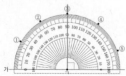

❖ 점 ㄱ은 각도기의 중심에, 직선 가는 각도기의 밑금에 맞춰져 있으므로 각도기에서 90°가 되는 눈금 위에 점을 찍고 점 ㄱ과 직선으로 이으면 직선 가에 수직인 직선이 됩니다.

03 서로 수직인 변이 있는 도형을 모두 찾아 기호를 써 보세요.

(나, 라)

❖ 두 변이 만나서 직각을 이루는 도형을 모두 찾습니다.

개념 2 | 평행 알아보기

04 직사각형에서 서로 평행한 변을 모두 찾아 써 보세요.

→ 변 ㄱㄴ과 변 ㄹㄷ, 변 ㄱㄹ과 변 ㄴㄷ

❖ 직사각형은 마주 보는 두 변이 서로 평행합니다.

05 삼각자를 사용하여 평행선을 바르게 그은 것에 ○표 하세요.

( )   ( )   (○)

❖ 한 직선에 수직인 두 직선은 평행합니다. 삼각자의 직각인 부분을 이용하여 평행선을 바르게 그은 것에 ○표 합니다.

06 점 ㄱ을 지나고 직선 가와 평행한 직선을 그어 보세요.

66 · Run - B 4-2

4. 사각형 · 67

② 교과서 개념 다지기

정답과 풀이 p.17

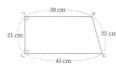

개념3 평행선 사이의 거리 알아보기

07 도형에서 평행선 사이의 거리는 몇 cm일까요?

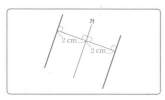

(**21 cm**)

❖ 평행한 두 변은 변 ㄱㄹ과 변 ㄴㄷ이고 이 두 변에 수직인 선분은 변 ㄱㄴ입니다.
따라서 평행선 사이의 거리는 21 cm입니다.

08 평행선 사이의 거리가 2 cm가 되도록 직선 가와 평행한 서로 다른 직선 2개를 그어 보세요.

❖ 평행선 사이의 거리가 2 cm가 되도록 직선 가의 양쪽에 평행한 직선을 각각 긋습니다.

09 평행선 사이의 거리에 대해서 잘못 말한 친구의 이름을 써 보세요.

> 평행선 사이의 거리는 어디에서 재어도 모두 같아.
> 승희

> 평행선 사이에 그은 선분 중 수선의 길이가 가장 길어.
> 민현

(**민현**)

❖ 평행선 사이에 그은 선분 중 수선의 길이가 가장 짧습니다.

68 · Run - B 4-2

개념4 사다리꼴, 평행사변형 알아보기

10 사다리꼴에서 서로 평행한 변을 찾아 써 보세요.

→ **변 ㄱㄹ과 변 ㄴㄷ**

11 평행사변형의 네 변의 길이의 합은 몇 cm일까요?

(**34 cm**)

❖ 평행사변형은 마주 보는 두 변의 길이가 같습니다.
(평행사변형의 네 변의 길이의 합)=10+7+10+7
=34 (cm)

12 점 종이에서 꼭짓점 한 개만 옮겨서 평행사변형을 만들어 보세요.

(예)

❖ 꼭짓점을 한 개만 옮겨서 마주 보는 두 쌍의 변이 서로 평행하도록 평행사변형을 만들어야 합니다. 위와 아래의 변이 평행하므로 나머지 두 변이 평행하도록 꼭짓점을 옮깁니다.

4. 사각형 · 69

3 주 교과서

---

② 교과서 개념 다지기

정답과 풀이 p.17

개념5 마름모 알아보기

13 사각형 ㄱㄴㄷㄹ은 마름모입니다. 각 ㄱㄴㄷ의 크기는 몇 도인지 구해 보세요.

(**110°**)

❖ 마름모에서 이웃한 두 각의 크기의 합은 180°이므로
(각 ㄴㄱㄹ)+(각 ㄱㄴㄷ)=180°입니다.
→ (각 ㄱㄴㄷ)=180°−(각 ㄴㄱㄹ)=180°−70°=110°

14 사각형 ㄱㄴㄷㄹ은 마름모입니다. □ 안에 알맞은 수를 써넣으세요.

선분 ㄱㄷ과 선분 ㄴㄹ이 만나서 이루는 각도는 **90** °입니다.

❖ 마름모에서 마주 보는 꼭짓점끼리 이은 선분은 서로 수직으로 만납니다.

15 마름모의 네 변의 길이의 합은 32 cm입니다. 변 ㄴㄷ의 길이는 몇 cm일까요?

(**8 cm**)

❖ 마름모의 네 변의 길이는 모두 같습니다.
→ (마름모의 한 변의 길이)=(네 변의 길이의 합)÷4
=32÷4=8 (cm)

70 · Run - B 4-2

개념6 직사각형, 정사각형 알아보기

16 직사각형의 네 변의 길이의 합은 몇 cm일까요?

(**28 cm**)

❖ 직사각형은 마주 보는 두 변의 길이가 같습니다.
→ (직사각형의 네 변의 길이의 합)=9+5+9+5
=28 (cm)

17 정사각형을 보고 □ 안에 알맞은 수를 써넣으세요.

❖ 정사각형은 네 변의 길이가 모두 같고, 네 각의 크기가 모두 90°입니다.

18 직사각형과 정사각형에 대한 설명으로 알맞은 말에 ○표 하세요.
(1) 모든 정사각형은 직사각형이라고 할 수 (있습니다. 없습니다).
(2) 모든 직사각형은 정사각형이라고 할 수 (있습니다. 없습니다).

❖ (1) 정사각형은 네 각이 모두 직각이므로 모두 직사각형이라고 할 수 있습니다.
(2) 직사각형은 네 변의 길이가 모두 같지 않을 수도 있으므로 모든 직사각형을 정사각형이라고 할 수는 없습니다.

4. 사각형 · 71

3 주 교과서

3 단계 교과서 **실력** 다지기

정답과 풀이 p.18

3 주 교과서

★ 수선도 있고 평행선도 있는 도형

1 수선도 있고 평행선도 있는 도형을 모두 찾아 기호를 써 보세요.

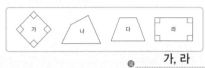

답 **가, 라**

개념 리드백
• 두 직선이 서로 수직으로 만났을 때, 한 직선을 다른 직선에 대한 수선이라고 합니다.
• 서로 만나지 않는 두 직선을 평행하다고 하며, 평행한 두 직선을 평행선이라고 합니다.

❖ 수선이 있는 도형: 가, 라
평행선이 있는 도형: 가, 다, 라
따라서 수선도 있고 평행선도 있는 도형은 가, 라입니다.

1-1 수선도 있고 평행선도 있는 도형을 찾아 기호를 써 보세요.

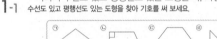

(ⓛ)

❖ 수선이 있는 도형: ⓛ, ㉣
평행선이 있는 도형: ⓛ
따라서 수선도 있고 평행선도 있는 도형은 ⓛ입니다.

1-2 수선도 있고 평행선도 있는 알파벳을 모두 찾아 써 보세요.

A C E H L M Z

(E, H)

❖ 수선이 있는 알파벳: E, H, L
평행선이 있는 알파벳: E, H, M, Z
따라서 수선도 있고 평행선도 있는 알파벳은 E, H입니다.

72 · Run - B 4–2

★ 평행선 찾기

2 도형에서 변 ㄱㄴ과 평행한 변을 찾아 써 보세요.

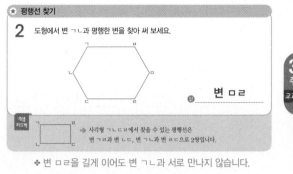

답 **변 ㅁㄹ**

개념 리드백
사각형 ㄱㄴㄷㄹ에서 찾을 수 있는 평행선은
변 ㄱㄹ과 변 ㄴㄷ, 변 ㄱㄴ과 변 ㄹㄷ으로 2쌍입니다.

❖ 변 ㅁㄹ을 길게 이어도 변 ㄱㄴ과 서로 만나지 않습니다.

2-1 도형에서 찾을 수 있는 평행선은 모두 몇 쌍일까요?

(**2쌍**)

❖ 변 ㄱㅁ과 변 ㄴㄷ, 변 ㄱㄴ과 변 ㅁㄹ ➡ 2쌍

2-2 도형에서 찾을 수 있는 평행선은 모두 몇 쌍일까요?

(**2쌍**)

❖ 변 ㄱㅅ과 변 ㄷㄹ, 변 ㄴㄷ과 변 ㅁㄹ ➡ 2쌍

4. 사각형 · 73

3 단계 교과서 **실력** 다지기

정답과 풀이 p.18

3 주 교과서

★ 수선을 이용하여 각의 크기 구하기

3 직선 가와 직선 다는 서로 수직으로 만납니다. ☐ 안에 알맞은 수를 써넣으세요.

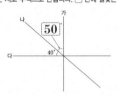

❖ 직선 가와 직선 다가 만나서 이루는 각의 크기는 90°입니다.
➡ ☐ + 40° = 90° ➡ ☐ = 90° - 40° = 50°

3-1 직선 가에 대한 수선이 직선 나입니다. ☐ 안에 알맞은 수를 써넣으세요.

❖ 32° + ☐ = 90° ➡ ☐ = 90° - 32° = 58°

3-2 직선 가는 직선 다에 대한 수선입니다. ㉠과 ㉡의 각도의 합을 구해 보세요.

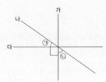

(**90°**)

❖ 직선 가와 직선 다가 만나서 이루는 각의 크기는 90°입니다.
직선이 이루는 각의 크기가 180°이므로 ㉠ + 90° + ㉡ = 180°
➡ ㉠ + ㉡ = 180° - 90° = 90°입니다.

74 · Run - B 4–2

★ 한 변의 길이 구하기

4 네 변의 길이의 합이 60 cm인 정사각형입니다. 정사각형의 한 변의 길이를 구해 보세요.

답 **15 cm**

개념 리드백
① 정사각형, 마름모 ➡ 네 변의 길이가 같습니다.
② 직사각형, 평행사변형 ➡ 마주 보는 두 변의 길이가 같습니다.

❖ 정사각형은 네 변의 길이가 모두 같습니다.
➡ (정사각형의 한 변의 길이) = (네 변의 길이의 합) ÷ 4
= 60 ÷ 4 = 15 (cm)

4-1 네 변의 길이의 합이 50 cm인 직사각형입니다. 변 ㄱㄴ의 길이는 몇 cm일까요?

18 cm

(**7 cm**)

❖ 직사각형은 마주 보는 두 변의 길이가 같습니다.
변 ㄱㄴ의 길이를 ☐ cm라 하면 18 + ☐ + 18 + ☐ = 50,
☐ + ☐ + 36 = 50, ☐ + ☐ = 50 - 36 = 14, ☐ = 14 ÷ 2 = 7입니다.

4-2 네 변의 길이의 합이 48 cm인 평행사변형입니다. 변 ㄴㄷ의 길이는 몇 cm일까요?

11 cm

(**13 cm**)

❖ 평행사변형은 마주 보는 두 변의 길이가 같습니다.
변 ㄴㄷ의 길이를 ☐ cm라 하면 ☐ + 11 + ☐ + 11 = 48,
☐ + ☐ + 22 = 48, ☐ + ☐ = 48 - 22 = 26,
☐ = 26 ÷ 2 = 13입니다.

4. 사각형 · 75

3 단계 교과서 실력 다지기

정답과 풀이 p.19

★ 여러 가지 사각형의 관계

5 다음 직사각형이 평행사변형인 이유를 써 보세요.

[예] **직사각형은 두 쌍의 변이 평행하므로 평행사 변형이라고 할 수 있습니다.**

개념피드백 • 사각형의 관계

5-1 다음 평행사변형이 사다리꼴인 이유를 써 보세요.

[예] **평행사변형은 평행한 변이 있으므로 사다리꼴이 라고 할 수 있습니다.**

5-2 다음 정사각형이 마름모인 이유를 써 보세요.

[예] **정사각형은 네 변의 길이가 모두 같으므로 마름 모라고 할 수 있습니다.**

76 · Run = B 4-2

★ 그림에서 찾을 수 있는 크고 작은 사각형의 수

6 그림에서 찾을 수 있는 크고 작은 평행사변형은 모두 몇 개일까요?

답 **4개**

개념피드백 • 크고 작은 사다리꼴 찾기

① 가, 나, 다는 위와 아래의 변이 평행하기 때문에 모두 사다리꼴입니다.
② 가＋나, 나＋다, 가＋나＋다도 위와 아래의 변이 평행하기 때문에 모두 사다리꼴입니다.

❖ 작은 삼각형 2개짜리 평행사변형: ①②, ②③, ③④ ➡ 3개
작은 삼각형 4개짜리 평행사변형: ①②③④ ➡ 1개
➡ 3＋1＝4(개)

6-1 그림에서 찾을 수 있는 크고 작은 사다리꼴은 모두 몇 개일까요?

(**6개**)

❖ 작은 삼각형 2개짜리 사다리꼴: ①②, ②③, ③④ ➡ 3개
작은 삼각형 3개짜리 사다리꼴: ①②③, ②③④ ➡ 2개
작은 삼각형 4개짜리 사다리꼴: ①②③④ ➡ 1개
➡ 3＋2＋1＝6(개)

6-2 그림에서 찾을 수 있는 크고 작은 마름모는 모두 몇 개일까요?

(**6개**)

❖ 작은 삼각형 2개짜리 마름모: ①②, ③④, ⑤⑥, ⑦⑧ ➡ 4개
작은 삼각형 4개짜리 마름모: ②③⑥⑦ ➡ 1개
작은 삼각형 8개짜리 마름모: ①②③④⑤⑥⑦⑧ ➡ 1개
➡ 4＋1＋1＝6(개)

4. 사각형 · 77

Test 교과서 서술형 연습

정답과 풀이 p.19

1 오른쪽 도형에서 서로 평행한 두 변을 찾아 평행선 사이의 거리를 재어 보세요.

해결하기 도형에서 서로 평행한 두 변을 찾으면 변 ㄱㅂ 과 변 ㄷㄹ 입니다.

따라서 평행선 사이의 거리를 재어 보면 **4** cm입니다.

답 구하기 **4** cm

2 오른쪽 도형에서 서로 평행한 두 변을 찾아 평행선 사이의 거리를 재어 보세요.

해결하기 [예] **도형에서 서로 평행한 두 변을 찾으면 변 ㄱㅂ과 변 ㄴㄷ입니다. 따라서 평행선 사이의 거리를 재어 보면 3 cm입니다.**

답 구하기 **3 cm**

78 · Run = B 4-2

3 사각형 ㄱㄴㄷㄹ은 마름모입니다. 각 ㄱㄴㄷ 의 크기는 몇 도인지 구해 보세요.

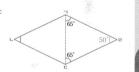

해결하기 마름모는 마주 보는 두 각의 크기가 같으므로 각 ㄱㄴㄷ＝각 ㄱㄹㄷ 입니다.

삼각형 ㄱㄷㄹ의 세 각의 크기의 합은 **180**°이므로

(각 ㄱㄹㄷ)＝ **180** °-65°-65°＝ **50** °입니다.

따라서 각 ㄱㄴㄷ＝ **50** °입니다.

답 구하기 **50**°

4 사각형 ㄱㄴㄷㄹ은 마름모입니다. 각 ㄴㄷㄹ의 크기는 몇 도인지 구해 보세요.

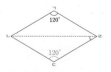

해결하기 [예] **마름모는 마주 보는 두 각의 크기가 같으므로 (각 ㄴㄷㄹ)＝(각 ㄴㄱㄹ)＝120°입니다. (변 ㄴㄷ)＝(변 ㄹㄷ)이므로 이등변삼각형 ㄴㄷㄹ에서 (각 ㄹㄴㄷ)＝(각 ㄴㄹㄷ)입니다. 삼각형 ㄴㄷㄹ의 세 각의 크기의 합은 180°이므로 (각 ㄹㄴㄷ)＋(각 ㄴㄹㄷ) ＝180°-120°＝60°, (각 ㄴㄹㄷ)＝60°÷2＝30°입니다.**

답 구하기 **30**°

4. 사각형 · 79

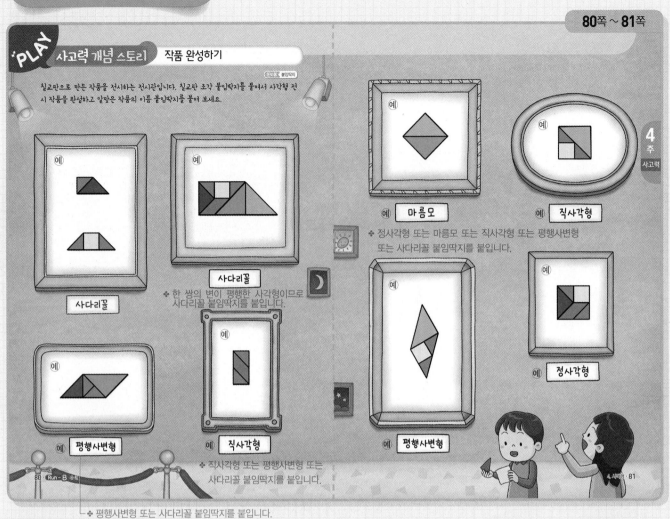

단계 교과 사고력 잡기

1 점 ㅇ을 지나면서 도형의 각 변에 수직인 직선을 모두 그어 보세요.

✚ 삼각자의 직각을 낀 변이나 각도기를 사용하여 점 ㅇ을 지나면서 도형의 각 변에 수직인 직선을 긋습니다.

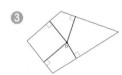

84 · Run · B 4-2

2 다음 도형에서 평행한 변을 알아보세요.

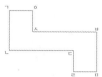

1 변 ㄱㄴ과 평행한 변을 모두 써 보세요.

(변 ㅇㅅ, 변 ㄷㄹ, 변 ㅂㅁ)

2 변 ㄹㅁ과 평행한 변을 모두 써 보세요.

(변 ㄱㅇ, 변 ㅅㅂ, 변 ㄴㄷ)

3 변 ㅇㅅ과 변 ㄷㄹ은 서로 평행한지 쓰고 이유를 써 보세요.

(평행합니다.)

이유 예 변 ㅇㅅ과 변 ㄷㄹ은 늘여도 서로 만나지 않으므로 서로 평행합니다.

4. 사각형 · 85

단계 교과 사고력 잡기

3 보기 와 같이 사각형의 꼭짓점 ㄱ을 지나는 직선을 그어서 사다리꼴을 만들고 색칠해 보세요.

보기

→   또는

1

✚ 마주 보는 한 쌍의 변이 평행하도록 직선을 긋습니다.

2

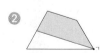

3

또는

86 · Run · B 4-2

4 위에서 본 모양이 직사각형 모양인 케이크가 있습니다. 케이크를 가능한 한 가장 큰 정사각형 모양이 되도록 3번 잘라 정사각형 모양의 조각은 모두 나누어 먹었습니다. 남은 케이크의 네 변의 길이의 합은 몇 cm인지 구해 보세요.

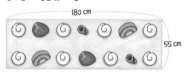

1 케이크를 3번 잘라서 가능한 한 가장 큰 정사각형 모양의 조각으로 자를 때, 정사각형의 한 변의 길이는 몇 cm일까요?

(55 cm)

✚ 가로 180 cm, 세로 55 cm 중 짧은 길이인 55 cm를 한 변으로 하는 정사각형 모양으로 케이크를 자르면 가장 큰 정사각형 모양이 됩니다.

2 남은 케이크의 가로와 세로를 각각 구해 보세요.

가로(15 cm)
세로(55 cm)

✚ (남은 케이크의 가로)=180-55-55-55=15 (cm)

3 남은 케이크의 네 변의 길이의 합은 몇 cm일까요?

(140 cm)

✚ (남은 케이크의 네 변의 길이의 합)=15+55+15+55
=140 (cm)

4. 사각형 · 87

정답과 풀이 · **21**

2 단계 교과 사고력 확장

정답과 풀이 p.22

1 색종이를 잘라서 만든 사각형 ㄱㄴㄷㄹ은 각 ㄴㄱㄹ과 각 ㄱㄹㄷ의 크기가 120°이고 세 변 변 ㄴㄱ, 변 ㄱㄹ, 변 ㄹㄷ의 길이가 같습니다. 그림과 같이 사각형 ㄱㄴㄷㄹ 에서 변 ㄴㄱ이 변 ㄴㄷ과 일직선이 되게 접었을 때 각 ㅁㄹㄷ의 크기를 구해 보세요.

❶ 각 ㄱㄴㄹ의 크기를 구해 보세요.

(**30°**)

✧ (각 ㄴㄱㄹ)=120°이고 삼각형 ㄱㄴㄹ은 두 변의 길이가 같
은 이등변삼각형이므로
(각 ㄱㄴㄹ)+(각 ㄱㄹㄴ)=180°−120°=60°,
(각 ㄱㄴㄹ)=60°÷2=30°입니다.

❷ 각 ㄴㄹㅁ의 크기를 구해 보세요.

(**30°**)

✧ 접힌 부분의 각의 크기는 접기 전 각의 크기와 같으므로
(각 ㄴㄹㅁ)=(각 ㄱㄹㄴ)=30°입니다.

❸ 각 ㅁㄹㄷ의 크기를 구해 보세요.

(**60°**)

✧ (각 ㅁㄹㄷ)=(각 ㄱㄹㄷ)−(각 ㄱㄹㄴ)−(각 ㄴㄹㅁ)
=120°−30°−30°=60°

2 직사각형 모양의 색종이를 그림과 같이 두 번 접은 후 빨간색 선을 따라 잘랐습니다. 자른 종이를 펼쳤을 때 만들어지는 사각형의 두 대각선의 길이의 차를 구해 보세요.

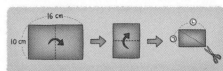

❶ 위 그림에서 ㉠과 ㉡의 길이를 각각 구해 보세요.

㉠ (**5 cm**)
㉡ (**8 cm**)

✧ ㉠=10÷2=5 (cm)
㉡=16÷2=8 (cm)

❷ 자른 종이를 펼쳤을 때 만들어지는 사각형의 이름을 써 보세요.

(예 **마름모**)

✧ 네 변의 길이가 같은 사각형이므로 마름모입니다.

❸ 만들어지는 사각형의 두 대각선의 길이의 차는 몇 cm일까요?

(**6 cm**)

✧ 8+8=16 (cm), 5+5=10 (cm)
➡ 16−10=6 (cm)

---

2 단계 교과 사고력 확장

정답과 풀이 p.22

3 모양과 크기가 같은 마름모 모양의 색종이 5장을 이어 붙여 만든 별 모양입니다. 표시한 각의 크기의 합을 구해 보세요.

❶ 마름모의 성질로 알맞은 말에 ○표 하세요.

마름모는 (마주 보는 두 각, 네 각)의 크기가 같습니다.

✧ 마름모는 마주 보는 두 각의 크기가 같습니다.

❷ 마름모의 성질을 이용하여 표시한 각의 크기의 합을 구하고 설명해 보세요.

(**360°**)

풀이 예 **마름모는 마주 보는 두 각의 크기가 같으므로 표시한 각과 마주 보는 각을 표시하면 표시한 각의 크기의 합은 한 바퀴가 되므로 360°입니다.**

4 그림과 같이 한 변의 길이가 10 cm인 정사각형 모양 치즈의 한가운데를 한 변의 길이가 4 cm인 정사각형 모양으로 잘라내고, 남은 치즈를 크기와 모양이 같은 4개의 직사각형 모양으로 나누었습니다. 그리고 나눈 치즈를 긴 변을 맞닿게 이어 붙였을 때 만들어지는 직사각형에 대하여 알아보세요.

❶ 긴 변을 맞닿게 이어 붙여서 만든 직사각형 모양의 치즈는 정사각형 모양인지 쓰고 이유를 써 보세요.

(**아닙니다.**)

풀이 예 **4개의 직사각형 모양 치즈의 짧은 변의 길이는 10−4=6, 6÷2=3 (cm)이고, 긴 변의 길이는 10−3=7 (cm)입니다. 따라서 긴 변을 맞닿게 이어 붙여서 만든 직사각형 모양의 치즈는 가로가 3×4=12 (cm), 세로가 7 cm로 같지 않기 때문에 정사각형 모양이 아닙니다.**

❷ 같은 방법으로 이어 붙여서 만든 직사각형 모양의 치즈가 정사각형 모양이 되려면 한가운데에 잘라내는 정사각형 모양 치즈의 한 변의 길이를 몇 cm로 해야 할까요?

(**6 cm**)

✧

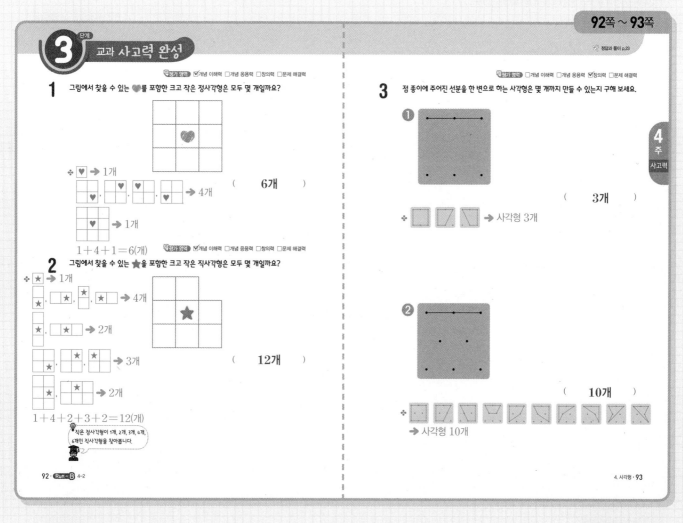

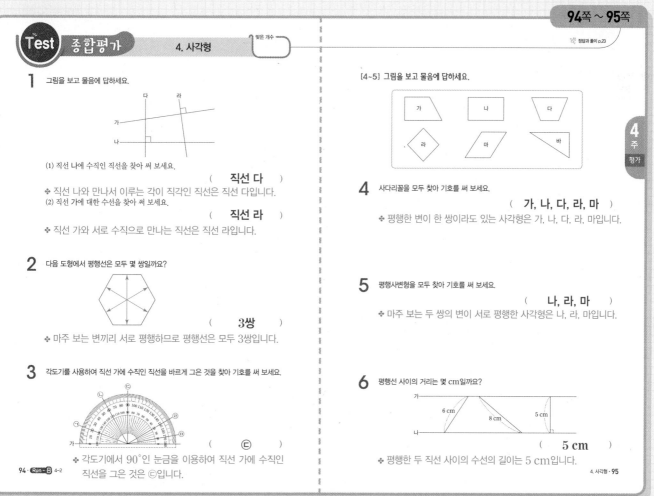

Test 종합평가 4. 사각형

 정답과 풀이 p.24

7 평행사변형에서 ㉠은 몇 도인지 구해 보세요.

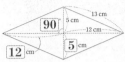

(**45°**)

❖ 평행사변형의 이웃한 두 각의 크기의 합은 $180°$이므로
㉠$=180°-135°=45°$입니다.

8 마름모를 보고 □ 안에 알맞은 수를 써넣으세요.

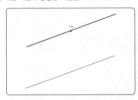

❖ 마름모에서 마주 보는 꼭짓점끼리 이은 선분은 서로 수직으로 만나고 이등분합니다.

9 점 ㄱ을 지나고 주어진 직선과 평행한 직선을 그어 보세요.

❖ 한 점을 지나고 주어진 직선에 평행한 직선은 1개 그을 수 있습니다.

10 직사각형 모양의 종이띠를 선을 따라 잘랐을 때 생기는 사다리꼴은 모두 몇 개일까요?

| 가 | 나 | 다 | 라 | 마 |

(**4개**)

96 · Run - ⑬ 4-2 ❖ 한 쌍의 변이 평행한 사각형은 나, 다, 라, 마입니다. ➡ 4개

11 사각형 ㄱㄴㄷㄹ은 네 변의 길이의 합이 36 cm인 마름모입니다. 변 ㄱㄹ의 길이는 몇 cm일까요?

❖ 마름모는 네 변의 길이가 모두 같습니다.
➡ (변 ㄱㄹ)$=36÷4=9$ (cm)

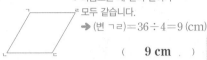

(**9 cm**)

12 수선도 있고 평행선도 있는 자음자를 모두 찾아보세요.

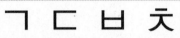

❖ 수선이 있는 자음자: ㄱ, ㄷ, ㅂ   (**ㄷ, ㅂ**)
평행선이 있는 자음자: ㄷ, ㅂ, ㅊ
➡ 수선도 있고 평행선도 있는 자음자: ㄷ, ㅂ

13 여러 가지 사각형에 대한 설명입니다. 잘못된 설명을 찾아 기호를 써 보세요.

㉠ 모든 직사각형은 평행사변형입니다.
㉡ 모든 마름모는 정사각형입니다.
㉢ 모든 평행사변형은 사다리꼴입니다.
㉣ 모든 정사각형은 직사각형입니다.

(**㉡**)

❖ 마름모는 네 각이 모두 직각이 아니라면 정사각형이라고 할 수 없습니다.

14 직사각형 모양의 색종이를 그림과 같이 접어서 자른 후 펼쳤을 때 만들어지는 사각형을 그려 보고 사각형의 이름을 써 보세요.

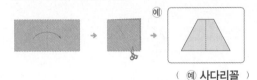

(**예 사다리꼴**)

❖ 마주 보는 한 쌍의 변이 평행하므로 사다리꼴입니다.

4. 사각형 · 97

➡ 마름모는 네 변의 길이가 모두 같으므로 네 변의 길이의 합은
$6×4=24$ (cm)입니다. 평행사변형은 마주 보는 두 변의 길이가 같으므로 네 변의 길이의 합은 $3+□+3+□=6+□+□$입니다.
➡ $6+□+□=24$, $□+□=18$, $□=18÷2=9$ (cm)

Test 종합평가 4. 사각형

 정답과 풀이 p.24

15 네 변의 길이의 합이 같은 평행사변형과 마름모입니다. □ 안에 알맞은 수를 써넣으세요.

16 직선 가와 직선 다는 서로 수직으로 만납니다. ㉠의 크기를 구해 보세요.

(**65°**)

❖ 직선 가와 직선 다가 만나서 이루는 각의 크기가 $90°$이고 직선이 이루는 각도는 $180°$이므로 $25°+90°+㉠=180°$
➡ $115°+㉠=180°$, $㉠=180°-115°=65°$입니다.

17 그림과 같이 직사각형 모양의 색 테이프 2장을 겹쳤을 때, ㉠의 크기를 구해 보세요.

(**115°**)

❖ 겹쳐진 부분의 사각형은 두 쌍의 변이 서로 평행하므로 평행사변형입니다. 평행사변형은 마주 보는 두 각의 크기가 같으므로 ㉡$=65°$입니다. ➡ ㉠$=180°-65°=115°$

98 · Run - ⑬ 4-2

특강 창의·융합 사고력

 정답과 풀이 p.24

❶ 수미네 집에서 보는 신문은 가로가 788 mm, 세로가 545 mm인 직사각형 모양입니다. 수미는 신문지 4장을 돌돌 말아 만든 막대 4개로 여러 가지 사각형을 만들었습니다. 만든 사각형의 이름이 될 수 있는 것과 모두 이어 보세요.

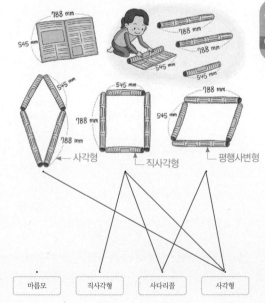

| 마름모 | 직사각형 | 사다리꼴 | 사각형 |

4. 사각형 · 99

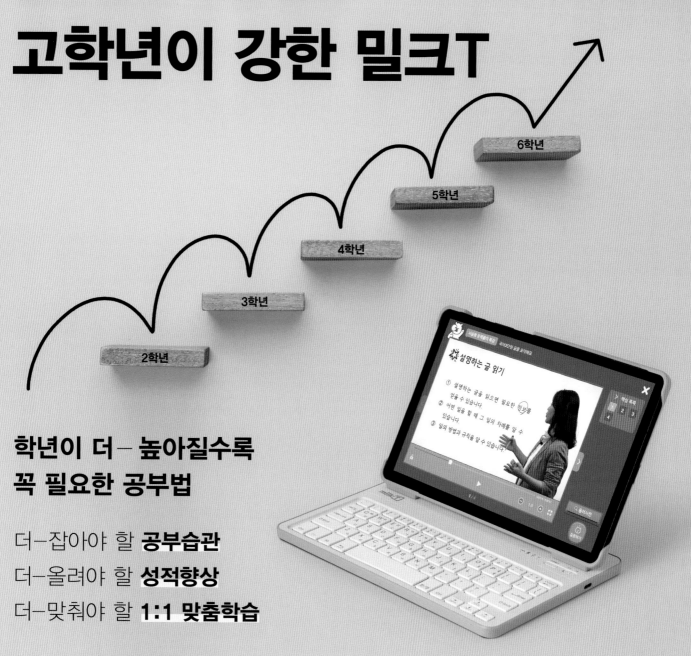

GO! 매쓰

GO!

수학 4-2

정답과 풀이

Jump

유형 사고력

Run

교과서 사고력

Start

교과서 개념